KULTÚRNE DEDIČSTVO SLOVENSKA

architektonické pamiatky

SLOVAKIA'S CULTURAL HERITAGE

architectural monuments

BRATISLAVA 1995

ISBN 80–901174–3–0

KULTÚRNE DEDIČSTVO
SLOVENSKA

architektonické pamiatky

SLOVAKIA'S

CULTURAL HERITAGE

architectural monuments

ARS

MONUMENT

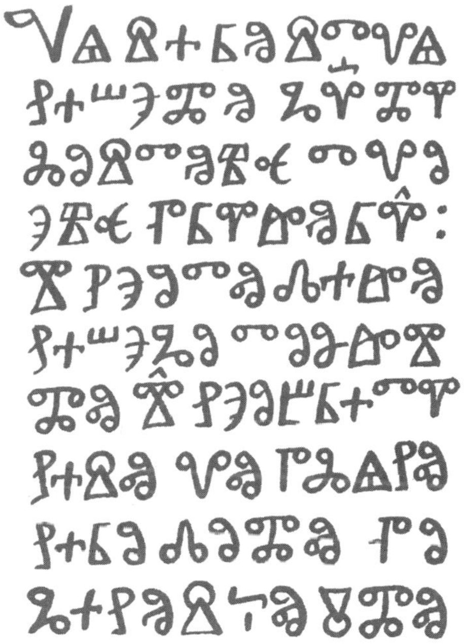

NA
KRÁĽOVSTVO
NAŠE
HOSPODINE
MILOSTIVO
PRIHLIADNI
NEDAJ NAŠE
CUDZÍM
A NEVYDAJ NÁS
DO ZAJATIA
NÁRODOM
POHANSKÝM:

Modlitba sv. Cyrila a Metoda za Vlasť

**Prayer of Sts. Cyril and Methodius
for the Slavonic nation**

WE PRAY ALMIGHTY,
LOOK AFTER OUR KINGDOM
WITH KINDNESS,
SURRENDER NOT OUR POSSESSIONS
INTO FOREIGN HANDS,
NOR ENSLAVE OUR NATION
WITH A PAGAN YOKE.

Časť veľkomoravského misálu v hlaholskom písme z obdobia pôsobenia byzantskej misie. Prepísaný bol na Veľkej Morave koncom 9. alebo na začiatku 10. storočia *(Kyjevské listy. Knižnica Akadémie vied Ukrajinskej republiky v Kyjeve).*

Part of a Great Moravian missal in Glagolitic writing, dating back to the days of the Byzantine mission. It was rewritten in Great Moravia in the late 9th or early 10th centuries *(Kievan letters. Library of the Ukrainian Academy of Science in Kiev).*

SLOVENSKO. Malebná krajina v srdci Európy, križovatka kultúr a obchodných ciest. Krajina medzi Tatrami a Dunajom, bohatá na prírodné krásy, dary hôr, riek, úrodných nížin a nerastné bohatstvo. Bohatá na históriu a kultúrne dedičstvo svojich predkov.

Po celé tisícročia sa na území Slovenska stretávali vďaka dvom významným európskym cestám, jantárovej a dunajskej, najvýznamnejšie dejinné a kultúrne prúdy Európy, o čom svedčia mnohé zachované historické pamiatky.

Jednou z najstarších architektonických pamiatok v Európe je rozsiahly, niekoľko desiatok tisíc rokov starý sídliskový areál v Košiciach-Barci, ale aj mladšie sídliská na nížinách dolného Ponitria či v horských oblastiach východného a stredného Slovenska. Vznik sídlisk súvisel so spracovaním kovov, špecializáciou výroby a výmenným obchodom. Archeologické nálezy v Nitrianskom Hrádku a v Spišskom Štvrtku hovoria o vyspelom urbanizme i o bohatých kontaktoch s civilizáciou

SLOVAKIA. A picturesque country in the heart of Europe and a crossroads of cultures and trade routes. A country bordered by the Tatra Mountains and the Danube River, rich in natural beauty and the gifts of nature; mountains, rivers, fertile lowlands and mineral wealth, as well as the history and cultural heritage of its forefathers.

Thanks to two major trade routes, the amber route leading from the Baltic to the Adriatic Sea and the Danube route running east, the most significant historic and cultural trends of Europe have been meeting on the territory of Slovakia for millenia. This is verified by the rich archaeological finds, objects of architectural importance, and historic documents.

The vast ancient settlement in Košice-Barca is several tens of thousands of years old and, with the later settlements in the lowlands of the lower Nitra Valley and the mountainous regions of eastern and central Slovakia, among the oldest architectural remnants of its kind in Europe. The establishment of the settlements was con-

Hrad Devín. V období Veľkej Moravy významná pohraničná pevnosť kniežaťa Rastislava. Na hrade sa zachovali základy veľkomoravského kostola z 9. storočia s troma apsidami a pozdĺžnou loďou *(na obr. hore vľavo)*

Pamiatky z obdobia Veľkej Moravy sa zachovali aj na ďalších miestach Slovenska, napr. **na Bratislavskom hrade** – základy trojloďovej baziliky a časti maľovanej omietky *(na obr. hore vpravo)* i **v Ducovom** – základy kniežacieho dvorca *(na obr. vpravo)*.

Devín Castle. During the Great Moravian period under sovereign Rastislav this was a major border fortress. The foundations of a 9th-century Great Moravian church with three sanctuaries and an oblong nave were unearthed at the castle *(picture above left)*.

Remnants of the Great Moravian period have also been preserved in other places in Slovakia, e. g. **in Bratislava castle** – the foundations of a basilica composed of three naves and a part of the painted plaster *(picture above right),* and foundations of the sovereign's courtyard **at Ducové** *(picture right).*

Stredomoria. Do egejsko-mykénskej oblasti sa zo Slovenska vyvážala meď a medené výrobky.

Praveký hospodársky, spoločenský a kultúrny vývoj zavŕšili v 2. storočí pred n. l. Kelti. Rozvíjali ťažbu a spracovanie rúd, umelecké remeslá a obchod. Stavali opidá a v jednom z nich, nad jediným brodom cez stredný Dunaj, razili svoje strieborné obchodné platidlo s názvom Biatec a Nonnos. Bolo to na území dnešnej Bratislavy.

Opevnené sídliská na území Slovenska vznikali aj v prvých storočiach nášho letopočtu. Niektoré z nich sa stali základom rímskych vojenských táborov na severnej hranici rímskeho impéria – v Devíne, Bratislave a Stupave. Najsevernejšie na slovenskom území prenikli rímske légie do Trenčína, v tom čase osady známej ako Laugaricio.

Slovania sa v strednej Európe usadili v 5.–6. storočí. Na krátky čas sa v boji proti Avarom zjednotili v Samovej ríši.

Naďalej sa rozvíjali tradície budovania sídiel predmestského typu sústreďujúce politický, hospodársky a kultúrny život.

Koncom 8. a začiatkom 9. storočia sa na väčšej časti územia Slovenska rozprestieralo Nitrianske kniežatstvo. Vo svojom sídle Nitre dal knieža Pribina postaviť prvý kresťanský chrám, ktorý okolo roku 828 vysvätil salzburský arcibiskup Adalrám. Naši slovenskí predkovia sa včlenili medzi kresťanské národy Európy.

Okolo roku 833 vznikol spojením Nitrianskeho a Moravského kniežatstva ranofeudálny štátny útvar VEĽKÁ MORAVA. Knieža Rastislav v úsilí zachovať samostatnosť Veľkej Moravy povolal z Byzancie roku 863 misiu solúnskych bratov – KONŠTANTÍNA A METODA. Pre Slovanov zostavili písmo a zaviedli slovanskú liturgiu. Preložili Bibliu, bohoslužobné knihy a súdno-právne predpisy, založili vyššiu školu na výchovu kňazov. Ich zásluhou sa Veľká Morava stala kultúrnym

nected to the processing of metal, manufacture and trade. Archaeological findings at Nitriansky Hrádok and Spišský Štvrtok attest to a developed urbanism and abundant contacts with Mediterranean civilization. Copper and copper products were already exported to the Aegean-Mycenaean area at the time.

Primeval economic, social and cultural development culminated in the 2nd century B. C. due to the Celts who developed even further the mining and processing of ore, handicrafts and trade. They built forts called oppida in the territory that we know today as Slovakia. In an oppidum, situated near the only ford across the middle section of the Danube, they minted their silver coins - with inscription Biatec and Nonnos. This was in the area of the present-day Bratislava.

Fortified settlements in Slovakia came into existence in the first centuries of our era, and some of them – at Devín, Bratislava and Stupava – were later converted into Roman military camps to protect the northern border of the Roman Empire. The northernmost point reached

... DATA XVDIE M IUN INDICTIONE. VIII.

REUERENTISSIMO ET SCISSIMO THEODERICO ARCHIEPO SCE CHRISOLITANE ECCLESIE. —

... DATA XXV M IUN IND XIII

DILECTO FILIO SPENTOPULCHO GLORIOSO COMITI.

Faksimile dobovej väzby regestov pápežských dokumentov a fragment regestu Buly industriae tuae z roku 880, ktorou pápež potvrdil – Dilecto filio Spentopulcho glorioso comiti – milovanému synovi Svätoplukovi, slávnemu comesovi – používanie staroslovienskeho jazyka v liturgii. Týmto aktom sa slovanský jazyk priradil k trom dosiaľ výlučne uznávaným liturgickým jazykom – k hebrejčine, gréčtine a latinčine *(v zbierkach Matice slovenskej).*

Facsimile of contemporary extracts from the papal documents and the fragment of an extract from Bula industriae tuae from 880, by which the Pope confirmed – Dilecto filio Spentopulcho glorioso comiti – to the beloved son Svätopluk, the glorious sovereign – the usage of the early Slavic language in liturgy. Thereby the Slavic language was added to the three previously recognized liturgical languages – Hebrew, Greek and Latin *(in the collection of Matica slovenská).*

Jedným z najvzácnejších kostolíkov na Slovensku je **Kostol sv. Juraja v Kostoľanoch pod Tribečom** z prvej polovice 11. storočia *(na obr. exteriér, interiér).*
V interiéri sa zachovali nástenné maľby, ktoré patria medzi najstaršie stvárnenia mariánskeho a christologického cyklu u nás. Kostol v polovici 13. storčia rozšírili o románsku časť.

St. George's Church at Kostoľany pod Tribečom, built in the first half of the 11th century, is one of the most valuable churches in Slovakia *(picture – interior, exterior).*
Its interior murals are among the earliest series of Marian and Christological paintings in our country.
A Romanesque section was added to the church in the 13th century.

a duchovným centrom, odkiaľ sa šírilo kresťanstvo do okolitých, najmä slovanských krajín.

V čase panovania kráľa Svätopluka (871–894) bola Veľká Morava uznávanou rozsiahlou stredoeurópskou ríšou.

Územie Slovenska spravovala drobná šľachta usadená v panských dvorcoch s kamennou zástavbou. Takým bol napríklad veľmožský dvorec v Ducovom pri Piešťanoch. Rozvinuté boli aj sídla tvoriace jeden opevnený komplex spolu s kostolom a hradom, ako napríklad v Bratislave, Devíne a Nitre, ktorá mala už vtedy mestský ráz.

Takto vyspelú krajinu so zárodkom neskorších stredovekých hradov a miest zastihol na začiatku 10. storočia príchod staromaďarských kmeňov, ktoré sa v polovici 10. storočia natrvalo usadili v Podunajsku. V 11. storočí sa postupne celé územie Slovenska stalo súčasťou mnohonárodného ranofeudálneho Uhorského štátu.

Na tradície Veľkej Moravy nadviazal prvý uhorský kráľ Štefan I. (1000–38) a ďalší arpádovskí panovníci. S upevňovaním moci stavali kráľovské hrady a dvorce, podporovali rozvoj miest a so šírením kresťanstva výstavbu kláštorných komplexov a kostolov.

V 11. storočí sa na území Slovenska rozšíril románsky sloh, ktorý mal korene vo veľkomoravskej a poveľkomoravskej architektúre. Z tohto obdobia sa zachovala jedna z najstarších sakrálnych stavieb – malebný zemepanský kostolík predrománskeho typu so vzácnymi freskami – v Kostoľanoch pod Tribečom.

Nové riešenia a výtvarné prvky zo západných kultúr prinášali do sakrálnej architektúry prichádzajúce rehole benediktínov, premonštrátov a cisterciánov. Na našom území zakladali ďalšie kláštory, z ktorých niekoľké slúžili aj ako hodnoverné miesta pre štátnu správu krajiny.

Benediktíni založili kláštory napríklad v Hronskom Sv. Beňadiku, Bzovíku, v Krásnej nad Hornádom, premonštráti v Šahách, Kláštore pod Znievom, Jasove, Lelese, cisterciáni založili kláštor v Spišskom Štiavniku. Neskôr dominikáni, františkáni a augustiniáni vniesli nové výtvarné prúdy aj do oblasti knižnej maľby sústredenej koncom 13. storočia a v 14. storočí v pisárskych dielňach kláštorov. Dominikáni mali napríklad v Košiciach už v 13. storočí skriptorskú dielňu. Rehoľné rády sa podieľali nielen na zveľaďovaní duchovného, ale aj hospodárskeho života.

Z viacerých románskych kláštorných komplexov sa dodnes zachovali len kostoly, napríklad v Diakovciach, Bíni, Rimavských Janovciach či Lipovníku.

V roku 1241 vtrhli na územie Slovenska tatárske vojská a väčšinu krajiny vyplienili. Zanikli pritom mnohé staršie sakrálne stavby a písomné pramene. Zachránila sa len časť kamennej architektúry - niektoré kostoly, rotundy a karnery, v ktorých románske umenie pretrvalo v architektonických detailoch, nástenných maľbách i v reliéfnej výzdobe portálov a hlavíc pilierov, napríklad v Dražovciach, Dechticiach, Bzovíku, Ilji, Bíni, v Križovanoch nad Dudváhom, v Boldogu, Kalinčiakove, v Banskej Štiavnici.

by the Roman legions was Trenčín, then known by the name of Laugaricio.

The Slavs settled in Central Europe in the 5th and 6th centuries. They were briefly united under Samo's Empire in order to repel the Avar invasion.

Suburban type settlements continued to develop as centres of political, economic and cultural life.

At the end of the 8th and beginning of the 9th century, the Principality of Nitra was spread over most of the territory of Slovakia. Sovereign Pribina had the first Christian temple built at his seat in the town of Nitra. Around 828, it was consecrated by the archbishop Adalram of Salzburg and, consequently, our Slavic ancestors were incorporated into the Christian nations of Europe.

The Nitra and neigbouring Moravian principality merged to form the early feudal state of GREAT MORAVIA in about 833. Sovereign Rastislav, in an effort to keep Great Moravia independent, invited a mission of Solunian brothers – CONSTANTINE and METHODIUS – from the Byzantine Empire in 863. They compiled a Slavic alphabet, introduced a Slavic liturgy, translated the Bible, religious books and legal codes and founded a theological college. As a result, Great Moravia became a cultural and religious centre from which Christianity spread further into the adjacent countries, primarily the Slavic ones.

At the time of the King Svätopluk's reign (871–894), Great Moravia was a large and respected central European empire.

Ranorománska **Rotunda sv. Juraja v Skalici** s podkovovitou apsidou z 11. storočia. Rotunda bola pôvodne súčasťou hradného komplexu, až po rozšírení mestských hradieb v 15. storočí sa stala súčasťou mesta. O dve storočia neskôr rotundu nadstavili a barokovo zastrešili.

The early Romanesque **St. George Rotunda at Skalica,** with an 11th-century horseshoe shaped sanctuary, was originally incorporated in the castle complex. Following the extension of the town walls in the 15th century it became a part of the town. Two centuries later the rotunda was heightened and received a Baroque roof.

Románsky **Kostol Všetkých svätých v Dechticiach** postavený – podľa nápisu na triumfálnom oblúku – roku 1172. V jeho interiéri sú zachované fragmenty nástenných malieb z 12. a 14. storočia.

The Romanesque **Church of All Saints at Dechtice** was built according to the inscription on the triumphal arch in 1172. Fragments of mural paintings form the 12th and 14th centuries have been preserved in its interior.

The Slovak territory during the Great Moravian Empire was administered by feudal lords residing in stone-built courtyards, like the one at Ducové near Piešťany. So called fortified castle-towns, composed of a single fortified complex with a church and castle, were widespread in those days. Bratislava, Devín and Nitra are good examples of such fortresses. The latter already had the character of a town at the time.

This well developed country with its settlements and villages, which were the nuclei of later medieval towns and castles, was invaded by the old Magyar tribes at the beginning of the 10th century. In the mid-10th century they settled permanently in the Danube Lowlands, and in the 11th century gradually overran the whole territory of Slovakia which then became a part of the early feudal and multi-national Hungarian Kingdom.

The Great Moravian traditions were taken over by its first king Stephen I (1000–38) and his Arpad successors. They supported the development of towns and, as Christianity spread, the construction of monasteries and churches, building castles and courtyards as they increased their power.

The Romanesque style that spread throughout Slovakia in the 11th century had its roots in Great Moravian and post-Great Moravian architecture. One of the earliest sacral buildings dating from the period is the picturesque pre-Romanesque gentry church decorated with precious frescoes at Kostoľany pod Tribečom.

New techniques and artistic elements from western cultures were brought to sacral architecture with the co-

V prvej polovici 13. storočia sa na neskororománskych kostoloch v Spišskej Kapitule a v Bíni objavili architektonické prvky gotického slohu.

Od polovice 13. storočia sa stavali kostoly s gotickými lomenými klenbami. V mestách to boli na námestiach kostoly farské a v ich okrajových častiach kostoly kláštorné.

Obdobie gotiky obohatilo územie Slovenska o jedinečné architektonické a umelecké sakrálne monumenty – chrámy s veľkými krídlovými oltármi s množstvom sôch a tabuľových obrazov, nástenné maľby a vysoké kamenné pastofóriá. V Kostole sv. Jakuba v Levoči sa nachádza najvyšší zachovaný drevený oltár v Európe od Majstra Pavla, v kostole sv. Egídia v Bardejove jedenásť pôvodných krídlových oltárov a v Dóme sv. Alžbety v Košiciach najrozsiahlejší európsky súbor 48 tabuľových malieb na krídlach hlavného oltára.

K vrcholným architektonickým dielam tohto obdobia patrí aj Dóm sv. Martina v Bratislave, Kostol sv. Mikuláša v Trnave a ďalšie kostoly – napríklad v Skalici, v Banskej Štiavnici, Kremnici, Banskej Bystrici, v Pukanci, Okoličnom, či kláštorný kostol v Hronskom Sv. Beňadiku.

Gotická nástenná maľba zachovaná vo vidieckych kostoloch, napríklad v Žehre, Ponikách, vo Veľkej Lomnici, Dravciach, ale najmä v kostoloch gemerského regiónu – v Šiveticiach, Chyžnom, Plešivci, Ochtinej, Štítniku a v ďalších kostoloch, má vo svojich začiatkoch taliansko-byzantský charakter a je klenotom gotického umenia európskeho významu.

ming of the Benedictine, Premonstrate, and Cistercian orders. They founded further monasteries, some of which served as seats of authority for the state administration. The Benedictines established their monasteries at Hronský Sv. Beňadik, Bzovík, Krásna nad Hornádom and elsewhere, the Premonstrates at Šahy, Kláštor pod Znievom, Jasov and Leles, and the Cistercians at Spišský Štiavnik.

The Dominicans, Franciscans and Augustinians later introduced new artistic styles in the illustration of books, which was mainly done in the writing workshops of monasteries in the late 13th and throughout the 14th century. As early as in the 13th century the Dominicans had a complete script writing workshop in the town of Košice. Religious orders not only promoted their religion but economic development as well.

Many Romanesque monastery complexes vanished but the churches were sometimes preserved, e. g. at Diakovce, Bíňa, Rimavské Janovce and Lipovník.

In 1241, the Tartars invaded onto the territory of Slovakia and plundered most of the country, destroying earlier sacral buildings and written documents. However, some stone architecture survived, and we can now admire the architectural details, murals, and the relief decorations of the portals and pillar heads in some churches, rotundas and charnels, such as those at Dražovce, Dechtice, Bzovík, Ilija, Bíňa, Križovany nad Dudváhom and Banská Štiavnica.

The Romanesque period culminated in the first half of the 13th century with the construction of late Romanesque churches with Gothic elements at Spišská Kapitula and Bíňa.

From the mid-13th century, churches were built with Gothic barrel vaults. Parish churches were erected in town squares while monastery churches were built on the outskirts of towns.

The Gothic period enriched Slovakia with unique architecture and art masterpieces – big winged altars with numerous sculptures, paintings on wooden boards, and high stone pastophories conserved in churches. The highest preserved wooden altar in Europe, made by master Paul, can be seen in St. Jacob's Church at Levoča. The St. Egidius Church at Bardejov houses eleven original wing shaped altars, and St. Elizabeth's Cathedral in Košice has the most extensive set of 48 bard paintings on the wings of its main altar.

The finest architectural masterpieces of this period comprise St. Martin's Cathedral in Bratislava as well as churches at Trnava, Skalica, Banská Štiavnica, Kremnica, Banská Bystrica and Pukanec as well as a monastery complex at Hronský Sv. Beňadik.

The Gothic mural paintings preserved in the country churches - at Poniky, Žehra, Veľká Lomnica and Dravce, and particularly in the Gemer Region at Šivetice, Chyžné, Plešivec, Ochtiná, Štítnik, and other places were initially of Italian-Byzantine character and are now Gothic treasures of European importance.

Románsky **karner** s kostnicou v Starom zámku **v Banskej Štiavnici.**

Romanesque **charnel-house with ossuary** at the Old Castle in **Banská Štiavnica.**

Románsky **kríž z Rusoviec** s rastlinnou ornamentikou, žehnajúcou rukou a kozmickými symbolmi – slnkom a mesiacom.

A Romanesque **cross from Rusovce** with floral decorations, a blessing hand and the universal symbols – the sun and the moon.

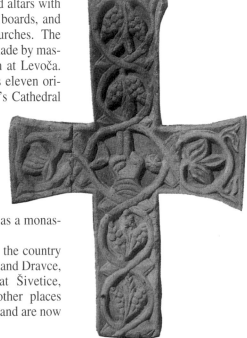

Vidiecky ranorománsky emporový **Kostol sv. Michala archanjela v Dražovciach** z prelomu 11.–12. storočia, prestavaný zo staršieho kostola na starom slovanskom hradisku.

The early Romanesque rural choir **Church of the Archangel St. Michael at Dražovce** was rebuilt in the late 11th and early 12th centuries from an earlier church in an old Slavonic fortified settlement.

V **Bíni** stoja vedľa seba dve vzácne sakrálne pamiatky – ranorománska **Rotunda Dvanástich apoštolov** s nástennými maľbami a románsky **Kostol Panny Márie** postavený pred rokom 1217 ako súčasť premonštrátskeho kláštora. V kostole sa zachovali pôvodné kamenné architektonické detaily a piliere s reliéfnymi hlavicami.

Two priceless sacral monuments stand side by side at **Bíňa**. These are the early Romanesque **Rotunda of The Twelve Apostles**, adorned with murals, and the Romanesque **Church of the Virgin Mary**, erected before 1217 as part of the Premonstrate monastery, which retained its original stone architectural details and pillars with heads in relief.

Ranogotický **Kostol Sv. Ducha v Žehre** postavili po roku 1275 a loď zaklenuli v polovici 15. storočia.
Jeho interiér postupne obohatili vzácnymi stredovekými nástennými maľbami a vnútorným zariadením. Nástenná maľba Strom života na severnej strane lode vznikla okolo roku 1400 *(na obr.)*.
Kostol v Žehre spolu so Spišským hradom, Spišskou Kapitulou s Katedrálou sv. Martina a okolím bol zapísaný v roku 1993 do zoznamu svetového kultúrneho dedičstva UNESCO.

The early-Gothic **Church of the Holy Spirit at Žehra** was built after 1275, and the vaulted ceilings in the nave date from the mid-15th century. Its interiors were progressively decorated with precious medieval murals and furniture. The Tree of Life mural on the northern wall of the nave was painted around 1400 *(picture)*. The church at Žehra, as well as Spiš Castle and Spišská Kapitula with St. Martin's Cathedral and their surroundings were placed on the UNESCO World Cultural Heritage list in the 1993.

St. Martin's Cathedral, composed of three naves, was erected **at Spišská Kapitula** between 1245 and 1275 close to an 11th-century Benedictine monastery. It served as a seat of the Spiš Abbey. It was enlarged in the second half of the 15th century, and the late-Gothic burial chapel of the Zápoľský family was added in 1488. Several valuable Gothic winged altars are placed in the cathedral interior.
Spišská Kapitula with St. Martin's Cathedral was placed on the UNESCO World Cultural Heritage list in 1993.

Trojloďovú **Katedrálu sv. Martina v Spišskej Kapitule** postavili ako súčasť sídla spišského prepošstva v rokoch 1245–75 v susedstve benediktínskeho kláštora z 11. storočia. V druhej polovici 15. storočia katedrálu rozšírili a roku 1488 pristavali k jej južnej strane neskorogotickú pohrebnú kaplnku rodiny Zápoľskovcov. Súčasťou bohatého interiéru je niekoľko cenných gotických krídlových oltárov.
Roku 1993 zapísali Spišskú Kapitulu s Katedrálou sv. Martina do zoznamu svetového kultúrneho dedičstva UNESCO.

Kostol sv. Kríža v Kežmarku posta-
vili v rokoch 1444–98 na mieste star-
šieho farského kostola z 13. storočia.
Hlavný oltár so súsoším Kalvárie
zo začiatku 16. storočia pochádza
z dielne levočského rezbára Majstra
Pavla.

The Holy Cross Church at Kežmarok
was erected between 1444 and 1498,
on the site of an earlier 13th century
parish church. The main altar from the
16th century was made in the work-
shop of the famous Levoča wood-
carver Master Paul.

Pohrebnú kaplnku dal roku 1473
pristavať ku Kostolu sv. Ladislava
v Spišskom Štvrtku palatín a dedičný
spišský župan Štefan Zápoľský.
Jej výstavba bola inšpirovaná typom
francúzskych palácových kaplniek
a súvisí s činnosťou viedenskej sväto-
štefanskej huty na našom území. Je
dielom majstra H. Puchsbauma. Patrí
k vrcholným dielam neskorej gotiky
u nás.

Burial chapel was added to St. Ladi-
slav's Church at Spišský Štvrtok
on the orders of the palatine and
hereditary Spiš administrator Šrefan
Zápoľský. Its construction by Master
H. Puchsbaum was inspired by French
palace chapels and is associated with
the activity of the Viennese St.
Stephan's Foundry at the territory of
Slovakia. It ranks among the finest
examples of the late-Gothic style in
our country.

Komplex kartuziánskeho kláštora s kostolom v Červenom Kláštore založili mnísi pri dôležitom brode cez Dunajec roku 1319. V 14. storočí kláštor postupne dobudovali.

Zachovali sa tu známe Spišské kázňové modlitby z roku 1480, napísané v spišskom dialekte a nástenné maľby z roku 1520 (na obr.).

Od roku 1699 kláštor obývali kamaldulskí rehoľníci, ktorí celý komplex barokovo upravili.

V 18. storočí sa stal významným slovenským kultúrnym centrom. Spolu s rehoľníkmi zo Zobora pri Nitre tu vypracovali prvú slovenskú gramatiku, slovník slovenského jazyka a vznikol tu prvý ucelený preklad Biblie.

Kláštor slúžil aj ako nemocnica s vlastnými liekmi z bylín. Okrem cennej architektúry sa tu zachovala pôvodná baroková lekáreň a slávny herbár frátra Cypriána.

The Carthusian Monastery complex with its church at Červený Kláštor was founded by monks in 1319, and built during the 14th century near a major ford across the river Dunajec.

The monastery is adorned with murals painted in 1520 (picture). It also contains the famous Spiš prayers written in the local dialect in 1480.

From 1699 the monastery housed the Kamadula Friars, who restored the whole complex in the Baroque style.

The monastery became an important Slovak cultural centre. Here the friars, along with those from Zobor pri Nitre, compiled the first Slovak grammar, the Slovak language glossary, and the first complete Slovak translation of the Bible.

The monastery also served as a hospital in which patients were cured with medicines made from local herbs.

Beside its fine architecture, an original Baroque pharmacy and the famous herbarium of friar Cyprian have been preserved as well.

Jeden z najstarších **kláštorných komplexov** na Slovensku – **benediktínske opátstvo** – založili benediktíni **v Hronskom Sv. Beňadiku** roku 1075. Románsku baziliku goticky prestavali v rokoch 1346–75 a o dvesto rokov neskôr, v časoch tureckých nájazdov, kostol a kláštor prebudovali na pevnosť.

Among the earliest **monastery complexes** in Slovakia, **the Benedictine Abbey at Hronský Sv. Beňadik** was founded by the Order of St. Benedict in 1075. Its Romanesque basilica was rebuilt in the Gothic style in 1346–75. Two hundred years later, during the Turkish invasion, the monastery was converted into a fortress.

Pôvodne neskororománsky **Kostol sv. Juraja v Spišskej Sobote** sa po prvý raz spomína roku 1273. Kostol goticky prestaval roku 1464 domáci staviteľ J. Steinmetz a v rokoch 1502–14 k nemu pristavali Kaplnku sv. Anny. Hlavný neskorogotický krídlový oltár sv. Juraja *(na obr. hlavný oltár a jeho zavreté krídla)* z roku 1516 pochádza z dielne Majstra Pavla z Levoče.

The first reference to the originally late-Romanesque **St. George's Church at Spišská Sobota** dates from 1273. The church was rebuilt in the Gothic style by the local masterbuilder J. Steimetz in 1464, and in 1502–14 the St. Anne Chapel was added. The late-Gothic winged altar of St. George *(on the picture the altar is also with shown closed wings)* was made in the workshop of Master Paul of Levoča in 1516.

Interiér Kostola sv. Egídia v Bardejove s jedenástimi pôvodnými gotickými oltármi a množstvom cenných umeleckých a remeselníckych diel patrí medzi najvzácnejšie v strednej Európe.
Umelecky najcennejší a najbohatší je oltár Narodenia Pána z rokov 1480–90 s tabuľovými maľbami vytvorenými podľa grafických predlôh M. Schongauera.
Trojloďový kostol postavili na mieste staršieho kostola cisterciánov v 14. storočí. Dnešná podoba je výsledkom pamiatkovej obnovy v rokoch 1878–96.

The interior of the St. Egidius Church at Bardejov, with eleven original Gothic altars and numerous valuable artistic and handworked masterpieces, is among the finest in Central Europe.
From an artistic point of view, the most valuable piece is the altar of the Birth of Our Lord, made between 1480 and 1490, with paintings which replicate earlier works by M. Schongauer.
The three-nave church replaced the former Cistercian church in the 14th century. It underwent the last restoration in 1878–96.

Hlavný oltár v Kostole sv. Jakuba v Levoči vytvoril Majster Pavol v rokoch 1508–17.
Výškou 18,60 m je najvyšším z drevených zachovaných gotických oltárov v Európe. V oltárnej skrini sú umiestnené monumentálne plastiky Madony s dieťaťom (2,47 m), sv. Jakuba (2,32 m) a sv. Jána apoštola (2,30 m). Na oltárnych krídlach sú reliéfy a tabuľové maľby Pašiového cyklu. V predele je výjav Poslednej večere.
Trojloďový Kostol sv. Jakuba stavali od začiatku 14. storočia do roku 1400.

The main altar in St. Jacob's Church at Levoča was produced by Master Paul between 1508 and 1517.
It is higher than any other wooden Gothic altar in Europe (18.60 m). The altar cabinet contains sculptures of the Madonna and child (2.47 m), St. Jacob (2.32 m), and St. John the Apostle (2.30 m). The altar wings are decorated with reliefs of the Passion, and the partition with a scene of the Last Supper.
The three nave St. Jacob's Church was under construction from the beginning of the 14th century to 1400.

Dóm sv. Martina v Bratislave stavali od 14. do začiatku 16. storočia na mieste staršieho kostola za účasti majstrov stavebnej huty viedenského Dómu sv. Štefana.

V rokoch 1435–51 kostol zaklenuli sieťovou rebrovou klenbou podľa návrhu H. Puchsbauma. V rokoch 1732–34 dal arcibiskup Imrich Esterházi postaviť na základoch gotickej sakristie barokovú Kaplnku sv. Jána Almužníka a hlavný oltár so sochárskymi dielami J. R. Donnera.

(Na obr. exteriér a interiér.)

St. Martin's Cathedral in Bratislava was under construction from the 14th to the early 16th century, and was built on the site of an earlier church. Masters of the Foundry of St. Stephen's Cathedral in Vienna also took part in the construction.

In 1435–51 the church was furnished with a reticulated ribbed vault. The vault was designed by H. Puchsbaum. The Baroque Chapel of St. John the Almsman and the main altar with G. R. Donner's sculptures were built in 1732–34, in place of a Gothic sanctuary, on the orders of the archbishop Imrich Eszterházy.

(Picture – exterior and interior.)

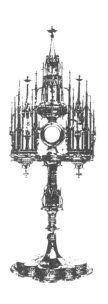

Chrám bol v rokoch
1563–1830 korunovačným
miestom jedenástich uhor-
ských kráľov a ôsmich
kráľovien.

The Cathedral was a coro-
nation church where eleven
kings and eight queens
of the Hungarian Kingdom
were crowned between
1563 and 1830.

Gotická monštrancia z roku
1517 vysoká 109 cm.

Gotic monstrance from
year 1517, hight 109 cm.

Dóm sv. Alžbety v Košiciach stavali
od konca 14. storočia do roku 1508
na micste staršieho kostola.
Dnešný päťloďový chrám prešiel
v 19. storočí veľkou regotizačnou
obnovou *(na obr. exteriér a interiér)*.

St. Elizabeth's Cathedral in Košice,
built on the site of an earlier church,
was under construction from the late
14th century until 1508.
The contemporary five nave cathedral
is the result of a major Gothic restora-
tion in the 19th century *(picture – ex-
terior and interior)*.

Hlavný oltár s najväčším európskym súborom 48 tabuľových malieb pašiového a mariánskeho cyklu, zasvätený sv. Alžbete Uhorskej, vytvorili v rokoch 1474–77. Autorom kamenného pastofória z roku 1477 je majster Štefan.

The main altar with Europe's largest-set of paintings of the Passion and Marian story on boards (48 pieces), dedicated to St. Elizabeth, dates from 1474–77. A stone pastophory was made by Master Stephen in 1477.

Stredoveké nástenné maľby zo 14. a 15. storočia v **Štítniku** *(na obr. interiér a exteriér)* a v ranogotickom **Kostole Zvestovania Panny Márie v Chyžnom.**

Súbory vzácnych nástenných malieb s ojedinelým výtvarným stvárnením a bohatou ikonografiou z 13.–15. storočia sa zachovali v Plešivci, Šiveticiach, Štítniku, v Chyžnom, Ochtinej, Koceľovciach, Rákoši a v ďalších vidieckych kostoloch gemerského regiónu. Svedčia o priamom vplyve významných centier stredovekej talianskej maľby.

Sets of precious murals with unique 13th–15th century illustrations and rich iconography were preserved at Plešivec, Šivetice, Štítnik, Chyžné, Ochtiná, Koceľovce, Rákoš and other countryside churches in the Gemer Region. They attest to the direct influence of medieval Italian paintings.

14th and 15th-century **medieval paintings** in the church of **Štítnik** *(picture – interior, exterior)* and **the early Gothic Church of the Annunciation at Chyžné.**

Neskorogotický **krídlový oltár Zvestovania v Chyžnom** *(na obr. vľavo)* vytvorili roku 1508 v dielni Majstra Pavla z Levoče.

The late-Gothic winged altar of the Annunciation in Chyžné *(picture left)* was made in the workshop of Master Paul of Levoča in 1508.

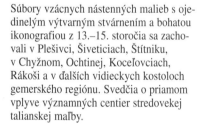

Stredoveká nástenná maľba z druhej polovice 13. storočia v ranogotickom **Kostole sv. Alžbety vdovy v Dravciach** zobrazuje Zvestovanie, Ukrižovanie a výjavy z legendy o sv. Antonovi Pustovníkovi.

A medieval mural from the second half of the 13th century, in the early-Gothic **Church of St. Elizabeth the Widow at Dravce**, illustrates the Annunciation, Crucifixion, and scenes from the legend of St. Anthony the Hermit.

Päťboká veža kostola klarisiek v Bratislave z prvej štvrtiny 15. stor.

The pentagonal spire of the Clarist church in Bratislava, erected in the first quarter of the 15th century.

Neskorogotická **krstiteľnica v Kostole sv. Kataríny v Banskej Štiavnici.**

A late-Gothic baptismal **font in St. Catherine's Church at Banská Štiavnica.**

Hrad **Devín**, oceľorytina Ludwiga Rohbocka, prvá polovica 19. storočia, detail.

The castle **Devín**. Engraving in Steel by Ludwig Rohbock, first half of the 19th century, detail.

Stavby stredovekých hradov na Slovensku nadväzovali na systém rozsiahlejších obranných slovanských hradísk a strážnych hrádkov na vyvýšeninách, ktoré sa stavali už vo veľkomoravskom období. Hrady plnili funkciu centier vznikajúcich administratívno-správnych jednotiek – komitátov. Bratislavský a Nitriansky hrad boli aj sídlami cirkevnej kapituly.

Prudký rozmach výstavby náročných gotických hradov nastal po pustošivých nájazdoch Tatárov v rokoch 1241–43. Výšinné skalné obranné hrady, napríklad Trenčín, Likava, Starhrad, Beckov, Strečno, Lietava, boli pôdorysom prispôsobené skalnému terénu, v ktorom prístupová cesta stúpala okolo hradnej skaly k hlavnej bráne s padacím mostom. Ich súčasťou bola útočisková a zároveň obytná veža, v 14. storočí aj obytný reprezentačný palác s kaplnkou a hospodárskymi budovami na samostatných nižších nádvoriach.

Severnú hranicu s Poľským kráľovstvom strážili pohraničné obranné hrady, napríklad Oravský hrad, Plaveč, Stará Ľubovňa, západnú hranicu s Českým kráľovstvom – Devín, Trenčín, Beckov, Bratislavský hrad, Čachtický hrad i rovinné hrady s vodnými priekopami – Šaštín či Holíč. Vo vnútrozemí a na východe krajiny celá sieť menších hradov chránila obchodné cesty a slúžila najmä ako obranný systém banských miest.

Výnimkou v hradnom staviteľstve boli slohovo náročné kráľovské hrady budované osobitnou dvorskou hutou. Na Slovensku bol takto v rokoch 1360–82 postavený Zvolenský hrad slúžiaci panovníkovi ako prechodné sídlo na poľovačkách.

Od 13. storočia kráľ udeľoval pozemkové majetky zaslúžilým členom svojej družiny, čo prispelo k postupnému zániku kráľovských hradov. Vznikali súkromné hradné panstvá šľachty, na ktoré sa preniesla aj povinnosť brániť krajinu.

Stredoveké hrady postupom storočí viackrát menili majiteľov, ktorí rozširovali svoje sídla a zdokonaľovali ich obranyschopnosť. Okrem obranných hradov vznikali v 13. a 15. storočí aj menšie šľachtické hrádky s obytnou i obrannou funkciou.

Medzníkom v našich dejinách bol rok 1526. Znamenal nielen porážku uhorskej armády tureckými vojskami pri Moháči a expanziu vojsk Osmanskej ríše do strednej Európy, ale aj koniec stredovekého Uhorského štátu a vznik Habsburskej monarchie.

Bitka pri Moháči roku 1526 priniesla ďalšiu vlnu rozsiahlejších prestavieb stredovekých hradov. Povolaní talianski fortifikační inžinieri stavali modernejšie renesančné pevnosti akou bol napríklad hrad Červený Kameň.

Po porážke Turkov roku 1683 hrady stratili svoje pôvodné poslanie a začali sa využívať na hospodárske účely. Počas protihabsburských stavovských povstaní sa väčšina z nich stala sídlami odboja. Preto v 18. storočí dal cisár prevažnú časť hradov zbúrať, alebo po požiaroch spustli.

The construction of medieval castles followed the era of Slavonic fortified settlements and small guard forts on hilltops which had been built during the Great Moravian period. Royal castles served as centres of administrative units – comitats. Bratislava and Nitra Castles were also seats of church capitula.

The exacting construction of Gothic castles began after the disastrous Tartar invasion in 1241–43. The planning of hilltop castles, such as Trenčín, Likava, Starhrad, Beckov, Srečno and Lietava, had to take account of the configuration of the land. Usually an access road spiralled up the castle hill towards a main gate with a draw bridge. The castles consisted of a tower which served as a sanctuary as well as a dwelling. After the 14th century, they included a ceremonial palace with chapel and out-buildings in lower courtyards.

The northern border with Poland was guarded by the castles of Orava, Plaveč and Stará Ľubovňa, the western border with the Czech Kingdom by Devín, Trenčín, Beckov, Bratislava, and Čachtice Castles as well as Šaštín and Holíč Castles, which were situated in a lowland and surrounded by moats. A number of minor castles in central and eastern Slovakia guarded trade routes but more particularly mining towns.

From an architectural point of view the royal castles, built by special court builders, are particularly noteworthy, thanks to their intricate style. One of them is Zvolen Castle, built between 1360 and 1382, which served as the king's temporary hunting residence.

From the 13th century on the kings presented the best feudal lords with castles and the result was that royal castles gradually ceased to exist. Little by little the castles became the property of aristocrats whose duty it was to protect the country against enemies.

Aside from the defence castles, minor castles with combined dwellings and defensive functions were also erected in the 13th and 15th centuries. Over the centuries, medieval Gothic castles had different owners who enlarged them and improved their fortifications.

The year 1526 was an important one in the history of Slovakia. Not only was the army of Hungarian Kingdom defeated by the Turks near Mohacs, and consequently, a part of central Europe overrun by the Ottoman Empire, but also the medieval Hungarian Kingdom was replaced by the Habsburg Monarchy.

The battle of Mohacs in 1526, resulted in another wave of major reconstructions of medieval castles. Italian fortification engineers were invited to build up-to-date Renaissance fortresses (e. g. Červený Kameň).

Following the victory over the Turks in 1683 the castles lost their defensive role and began to be used for economic purposes. Before long, however, the majority of them became centres of the anti-Habsburg revolts. For this reason most of the castles were destroyed on the Emperor's orders in the 18th century.

Na skalnom brale nad sútokom Dunaja
a Moravy sa vypína jeden z najstarších
hradov na Slovensku – **Devín**.
Vo Fuldských análoch z roku 864 sa
spomína ako pevnosť Dowina, ktorá
mala dôležitý strategický význam.
Chránila obchodné cesty i krajinu.
Na hrade sa zachovali základy veľko-
moravského kostola z 9. storočia
s troma apsidami a pozdĺžnou loďou.
V 13.–15. storočí tvorila jeho domi-
nantu šesťboká obranná obytná veža
s opevnením.
Hrad patril postupne viacerým vý-
znamným rodom – Garaiovcom, gró-
fom zo Sv. Jura a Pezinka, Báto-
riovcom i Pálfiovcom. V 18. storočí
bol v dôsledku stavovských povstaní
už opustený a jeho rozpad završili roku
1809 Napoleonove vojská.
V období národného obrodenia sa stal
symbolom slávnej minulosti
a národnej samobytnosti slovenského
národa.

One of Slovakia's oldest **castles, Devín,**
rises on a steep rock above the con-
fluence of the Danube and Morava
rivers. The Annals of Fuldy, dating from
864, refer to „Dowina" as a strategical-
ly important fort, guarding trade routes
and the surrounding countryside.
The foundations of a 9th-century Great
Moravian church with three sanctuaries
and an oblong nave were unearthed in
the castle.
In the 13th–15th centuries it was domi-
nated by a hexagonal defense tower
with fortifications.
The castle had several successive owners
– the Garays, the Counts of Sv. Jur and
Pezinok, the Báthorys and the Pálffys.
It was already deserted in the 18th cen-
tury as a result of the revolts of the
gentry and its destruction was comple-
ted by Napoleon's army in 1809.
In the days of national revival the cast-
le became a symbol of Slovakia's past
glory and national sovereignty.

Najstaršia písomná zmienka o **Brati-slavskom hrade** v Salzburských leto-pisoch z roku 907 hovorí o bitke pri Brezalauspurcu, ktorá priniesla zánik Veľkomoravskej ríše.

Hrad bol po celé stáročia strategicky dôležitou pevnosťou.

Z obdobia Veľkej Moravy sa na Brati-slavskom hrade zachovali základy troj-loďovej baziliky.

V 10. storočí za vlády Štefana I. sa tu razili mince so staroslovanským ná-zvom BRESLAWA CIVITAS *(na obr.)*.

Roku 1204 presťahovali prepošstvo a roku 1221 Kostol najsvätejšieho Salvátora do podhradia *(na obr. v ini-ciále Viedenskej maľovanej kroniky)*.

Kráľ Žigmund začal roku 1427 veľko-lepú prestavbu paláca, obytných budov a opevnenie doplnil o bašty a vstupné brány *(na obr. Žigmundova brána)*.

V rokoch 1552–62 bol hrad prebu-dovaný na štvorkrídlový renesančný palác, v rokoch 1635–49 nadobudol dnešný vzhľad a po poslednej pre-stavbe v rokoch 1761–68 sa stal repre-zentačným sídlom cisárskeho dvora.

Roku 1811 hrad vyhorel.

Dnes po obnove slúži kultúrnym a reprezentačným účelom.

The first written reference to **Brati-slava Castle** in Salzburg's historical records dates back to 907. It mentions the Battle of Brezalauspurc after which the Great Moravian Empire fell. For centuries the castle was a strategi-cally important fortress. The preserved foundation of a three-nave basilica in Bratislava Castle dates from the Great Moravian period.

In the 10th century, under king Stephen I, coins with an ancient Slav inscription BRESLAWA CIVITAS *(picture)* were minted there.

The abbey was relocated to the settle-ment below the castle in 1204 and the St. Salvator church in 1221 *(picture shows it with the initial from an illus-trated Vienna chronicle)*.

King Sigismund started the lavish re-construction of the palace and dwel-lings and built further turrets and gates in 1427 *(picture shows Sigismund Gate)*.

The castle was converted into a Renaissance palace with four wings on a square groundplan in the years 1552–62, acquiring its present–day ap-pearance between 1635 and 1649, and became the imperial court ceremonial residence after the last reconstruction in 1761–68. It was obliterated by fire in 1811. The reconstructed castle now serves for purposes of political and cultural presentations.

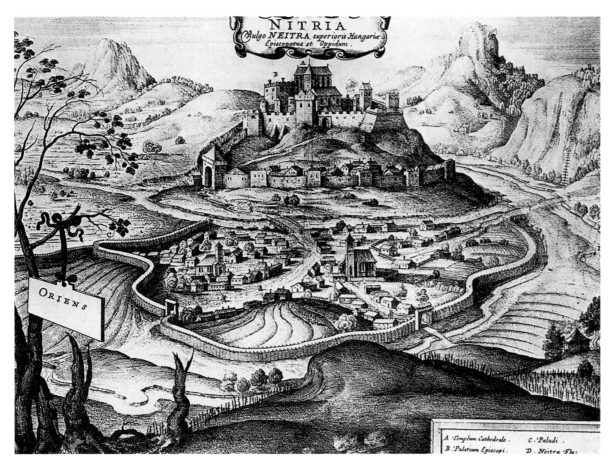

Nitriansky hrad. V Nitre sídlil v 9. storočí knieža Pribina i vládca Veľkej Moravy Svätopluk. V rokoch 880–892 bola Nitra sídlom biskupstva a mala už mestský ráz. Na opevnenom sídlisku na Martinskom vrchu bola akropola s kostolom a na vrchu Zobor pri Nitre kláštor.

O kultúrnej histórii hradu vypovedajú aj po mnohých prestavbách architektonické pamiatky takmer všetkých slohových období.

Z románskych pamiatok sa zachovali – svätyňa a časť lode Dolného kostola, z gotických pamiatok – Horný kostol z rokov 1333–55, časť biskupského paláca a východná časť gotického opevnenia. Z obdobia renesancie – veľkolepé opevnenie s priekopami a bastiónmi.

Barok obohatil hradný komplex o veľkolepú maliarsku výzdobu Horného kostola od G. A. Galliardiho roku 1720, o barokovo prestavaný biskupský palác roku 1739 a o Mariánsky stĺp roku 1750, ktorý je dielom M. Vogerleho.

(Na obr. Nitra. Lept V. Hollara podľa kresby G. Hoefnagla, 1657.)

Nitra Castle. Nitra was the seat of sovereign Pribina and later the Great Moravian ruler Svätopluk in the 9th century. Moreover, it was the seat of the diocese in 880–892. Nitra was a town with a distinct character as early as the 9th century. An acropolis with a church stood in a fortified settlement on Martin's hill and a monastery on Mt. Zobor near Nitra.

Although the castle underwent several reconstructions, its cultural history is still visible in the architectural styles of nine centuries.

The Romanesque remnants which have been conserved include the sanctuary and part of the nave in the Lower Church, while the Upper Church, erected between 1333 and 1355, is comprised of Gothic elements. Parts of the bishop's palace and the eastern section of the walls, as well as the grandiose walls with bastions and the moat, are Renaissance.

In the Baroque period, the formerly Renaissance tower in the castle complex was refurbished in Baroque style and the Upper Church was decorated with fine paintings by G. A. Galliardi in 1720. The bishop's palace was rebuilt in Baroque style in 1739, and a Marian column was erected by M. Vogerle in 1750.

(Picture – Nitra. Etching by V. Hollar according to a drawing by G. Hoefnagel, 1657.)

Spišský hrad je jedným z najväčších hradov v strednej Európe.
Vznikol v 12. storočí na mieste staršieho slovanského hradiska. Napriek tomu, že roku 1242 odolal náporu tatárskych vojsk, ešte v tom istom storočí severotalianski majstri, neskôr pôsobiaci aj na stavbe Spišskej Kapituly, zosilnili hradné opevnenie. Kruhová veža a románsky palác sú z 13. storočia.
Pôvodný kráľovský hrad patril viacerým rodom. Od roku 1465 Zápoľskovcom, neskôr Turzovcom a po požiari 1780 posledný rod Čákiovcov zanechal hrad v ruinách.
Spišský hrad s okolím bol roku 1993 zapísaný do zoznamu svetového kultúrneho dedičstva UNESCO.

Spiš Castle is among the biggest castles in Central Europe.
It was founded in the 12th century on the site of a previous Slav fort. The castle repelled the Tartarian attacks in 1242, and in the same century its fortifications were further improved by master-builders from northern Italy who later built Spišská Kapitula. A circular tower and Romanesque palace date from the 13th century. This originally royal castle was successively owned by several families; from 1465 by the Zápoľskýs, then the Thurzos and finally the last masters the Csákys, who abandoned the castle following a disastrous fire in 1780.
Spiš Castle and its surroundings were placed on the UNESCO World Cultural Heritage list in 1993.

Hrad Lietavu postavili v prvej tretine 14. storočia pôvodní majitelia Balážovci. Neskôr patril Matúšovi Čákovi Trenčianskemu i kráľovi Žigmundovi. Za Turzovcov hrad renesančne opevnili. Počas stáročí slúžil ako administratívne a vojenské centrum.

The castle Lietava was built in the first third of the 14th century by its original holders the Balass family, later it became property of Matúš Čák of Trenčín and King Sigismund. During the time of Thurzos' ownership the castle was fortified in the renaissance style. For centuries it served as an administrative and military centre.

Vígľašský zámok. Pôvodne gotický kráľovský hrad v 16. a 17. storočí prebudovali na protitureckú pevnosť a v 18. storočí prestavali na hradný kaštieľ. Na konci vojny, roku 1945, vyhorel.

Vígľaš Castle – originally a Gothic royal castle, was converted into an anti-Turk fortress in the 16th and 17th centuries and then into a castle manor in the 18th century. It burnt down during fighting between Russian and German troops in World War II.

Čachtický hrad, ako jeden z prvých, už v 13. storočí chránil západnú hranicu krajiny. V 14.–16. storočí hrad vlastnili Peter a Pongrác z rodu Huntovcov-Poznanovcov, krátko aj Matúš Čák Trenčiansky, Stibor zo Stiboríc i Nádašdyovci. Roku 1708 hrad dobyli vojská Františka Rákociho II. a odvtedy pustne.

Čachtice Castle protected the western border. From the 14th to the 16th centuries it was owned by Peter and Pongrác of the Hunt-Poznan family, then briefly by Matúš Čák of Trenčín, Stibor of Stiborice, and the Nádasdys. In 1707 the castle was overrun by František Rákoci's troops and has remained abandoned ever since.

Hrad Čabraď od 13. storočia chránil cesty k stredoslovenským banským mestám. V 15. storočí bol kráľovským hradom a od 16. storočia patril viacerým majiteľom. Pred tureckými nájazdmi ho chránilo mohutné renesančné opevnenie. Poslední majitelia Koháriovci pred presťahovaním do Antola roku 1812 dali hrad podpáliť.

Čabraď Castle guarded the access routes to the mining towns in central Slovakia as early as from the 13th century. It was a royal castle in the 15th century and had several successive owners after the 16th century. The castle had massive walls which repulsed the Turkish invaders. The last owners, the Kohárys had the castle burnt down before they moved to Antol in 1812.

Hrad Strečno dal postaviť na prelome 13. a 14. storočia na starších základoch palatín Matúš Čák Trenčiansky. Hrad vlastnil aj Ján Korvín, neskôr Ján Zápoľský, bratia Kostkovci a ďalší. V l5. storočí hrad rozšírili a v polovici 17. storočia renesančne upravili. Po skončení stavovských povstaní dal cisár Leopold I. roku 1698 hrad zbúrať.

Strečno Castle was built on the orders of Matúš Čák of Trenčín in the late 13th and early 14th centuries. Later, the castle belonged to John Corvinus, Ján Zápoľský, the Kostka brothers and others. It was enlarged in the 15th century and refurbished in Renaissance style in the 17th century. Following the suppression of the gentry revolts Emperor Leopold I had the castle pulled down.

Hrad Beckov postavili v 12. storočí ako kráľovský pohraničný strážny hrad. Na konci 13. storočia patril palatínovi Matúšovi Čákovi Trenčianskemu a na prelome 14. a 15. storočia hrad rozšíril majiteľ Stibor. Postavil nový palác a roku 1410 hradnú kaplnku. Majitelia Bánfiovci v druhej polovici 16. storočia hrad renesančne upravili a z obavy pred Turkami opevnili. Po požiari roku 1729 ostal opustený.

Beckov Castle, erected in the 12th century, was a royal, border guard castle. At the end of the 13th century it belonged to Matúš Čák of Trenčín and in the late 14th and early 15th centuries it was enlarged by another master, Stibor by name. The latter built a new palace and a castle chapel in 1410. Later owners, the Bánfys, had the castle refurbished in Renaissance style and, in consideration of the advancing Turkish army, also strengthened its fortifications in the second half of the 16th century. It was abandoned after a 1729 fire.

Kráľovský **Oravský hrad** na skalnom brale s troma terasami bol už na začiatku 13. storočia strategicky významným bodom neďaleko hraníc s Poľskom. Od roku 1370 bol župným hradom.

Celé obdobie gotiky sa nieslo budova-

ním stredného nádvoria opevneného dvoma baštami.

Hrad počas storočí menil svoj vzhľad i majiteľov – magister rytier Donč, kráľ Matej Korvín a jeho syn Ján, Mikuláš Kostka, Ján z Dubovca, Komorovskovci, Zápoľskovci a napokon Turzovci, ktorí v rokoch 1606–11 dali hradu dnešný renesančný vzhľad. Oravský hrad roku 1906 romanticky upravili poslední majitelia z rodu Pálfiovcov. V kaplnke sa nachádza renesančný epitaf Juraja Turzu *(na obr.)* z roku 1616 od augsburského sochára G. Mennelera a v priestoroch hradu obrazová galéria oravských županov.

Orava Castle. The royal castle with three terraces at Orava, which rises on a sheer rock, was a strategically important stronghold near the Polish border as early as the beginning of the 13th century. It became the seat of a district administrator in 1370. Its central square, fortified by two turrets, was built during the Gothic period.

Over the centuries the castle's appearance changed as well as the owners, who included Knight Donč, King Matthias Corvinus and his son John, Ján of Dubovec, the Komorovskýs, the Zápoľskýs, and finally the Thurzos, who gave the castle its present-day

Renaissance appearance in 1606–11. Orava Castle was renovated in a Romantic style by the last owners, the Pálffy family, in 1906. The chapel contains the Renaissance epitaph of George Thurzo *(picture)*, made by the Augsburg sculptor G. Menneler in 1616. The castle now houses a gallery with portraits of Orava aristocracy.

Trenčín Castle, dominating the middle stretch of the Váh Valley, guarded the western border from the 11th century. From the 14th century it was the main residence of the Palatine Matúš Čák who built or owned nearly fifty other castles in Slovakia. The earliest preserved edifices, dating from the period, include the so called Matúš tower. Further palaces, a chapel, and fortifications were later added to the castle.

Further reconstruction started in the 15th century. Zápoľský palace was erected, the fortifications were reinforced and a star-shaped artillery defence system was built by master-builder Pietro Ferrabosca in 1540–60. The Castle buildings were renovated in the Renaissance style.

The history of the castle rock, which dates back to the days of the Roman Empire, is suggested by an inscription engraved in the rock referring to a victory by the second Roman legion over the Germans near Laugaricio in 179 AD.

Dominanta stredného Považia – **Trenčiansky hrad** – slúžil od 11. storočia na ochranu západnej hranice kráľovstva. Na začiatku 14. storočia bol sídlom palatína Matúša Čáka, ktorý na Slovensku postavil alebo vlastnil takmer päťdesiat ďalších hradov. Z tohto obdobia pochádza najstaršia zachovaná tzv. Matúšova veža. Hrad neskôr rozšírili o ďalšie paláce, kaplnku a opevnenie.

V 15. storočí sa začalo obdobie ďalších prestavieb. Pribudol palác Zápoľskovcov a v protitureckej obrane v rokoch 1540–60 pod vedením Pietra Ferrabosca zosilnili opevnenie a vybudovali delostreleckú hviezdicovú obranu. V renesančnom slohu upravili aj hradné objekty.

Históriu hradného brala siahajúcu do obdobia rímskeho impéria dokladá na skale vytesaný nápis o víťazstve II. rímskej légie nad Germánmi pri Laugariciu roku 179 n. l.

Trenčín od Váhu.
Mediritina G. Bouttatsa podľa anonyma, 1676.

Trenčín. Engraving by G. Bouttatsa, 1676.

Hrad Krásna Hôrka chránil v 13. storočí stredoveké cesty, ktoré viedli cez banícke oblasti Slovenského rudohoria. Po tri storočia patril Bebekovcom. Roku 1546 hrad opevnili podľa projektov talianskeho architekta A. da Vedano. Po roku 1676 bol hrad prestavaný na neskororenesančné šľachtické reprezentačné sídlo.
Roku 1817 vyhorel a jeho ďalší majitelia Andrášiovci (1578–1945) v ňom po renovácii zriadili rodové múzeum.

In the 13th century, **Krásna Hôrka Castle** guarded the routes leading through the mining regions of the Slovenské Rudohorie Mountains. The Bebek family owned it for three centuries. In 1546 the castle was fortified according to projects by Italian architect A. da Vedano, and after 1676 it was turned into a late-Renaissance aristocratic luxurious residence. It burnt down in 1817 and was subsequently renovated. The last owners, the Andrássys (1578–1945), established a family museum there.

Zvolenský zámok dal postaviť v rokoch 1360–82 podľa vzoru talianskych mestských šľachtických palácov Ľudovít I. ako svoje prechodné sídlo na poľovačkách. Na prelome 15.–16. storočia majiteľ Ján Turzo, jeden z najbohatších banských podnikateľov v strednej Európe, hrad obnovil. Roku 1548 bol zmodernizovaný na renesančnú pevnosť – nadstavali jedno poschodie a pristavali nárožné veže a bastión. Vo veľkej dvorane sa nachádza drevený maľovaný strop z roku 1712 so 78 portrétmi rímskych a habsburských cisárov a kráľov (na obr.).

Zvolen Castle, modelled according to Italian noble town palaces, was built by Louis I in 1360–82. It served as a temporary hunting residence. In the late 15th and early 16th centuries the castle was rebuilt by John Thurzo, one of the richest mining entrepreneurs in Central Europe. In 1548 it was modernized and converted into a Renaissance fortress. Another floor was added to the castle building, as well as corner towers and a bastion. In the large hall there is a painted wooden ceiling, dating from 1712, with portraits of 78 Roman and Habsburg emperors and kings (picture).

37

Mestá na Slovensku vznikali v 12. a 13. storočí na miestach starších slovanských sídlisk a osád, najmä pri významných obchodných cestách a pri bohatých náleziskách rúd.

Od 13. storočia udeľovali panovníci prosperujúcim mestám kráľovské privilégiá. Tieto mestá sa tak stávali centrami obchodu, úradov a kultúrneho života, s čím súvisel aj rozmach ich stavebnej činnosti. Do konca stredoveku dostalo mestské výsady vyše 150 obcí, ale len 24 z nich bolo vyhlásených za slobodné kráľovské mestá. Prvý zachovaný štatút slobodného kráľovského mesta udelil kráľ Belo IV. (1225–70) roku 1238 Trnave.

Do hospodárskeho a kultúrneho rozvoja krajiny tvrdo zasiahli v rokoch 1241–43 Tatári. Spustošili zem a po ich odchode nastal hladomor. Panovníci na oživenie vyľudnenej krajiny pozvali osadníkov, najmä z územia dnešného Nemecka, ktorí priniesli svoju kultúru, právo, ale aj vtedajší technický pokrok.

Výsadné postavenie v stredoveku mali najmä mestá stredoslovenskej banskej oblasti s vysokou produkciou medi, zlata a striebra – Banská Bystrica, Kremnica, Banská Štiavnica, ale aj mestá na Spiši s náleziskami medi a železných rúd. Banskobystrickú meď vo veľkom vyvážali do Nemecka, Benátok a ďalej na trhy do Sýrie, Afriky a Ázie, spišskú meď vyvážali do Poľska, odkiaľ putovala do Švédska, Antverp a do Londýna.

Rozvíjali sa aj ďalšie mestá pri obchodných cestách medzi Stredomorím a Baltom. Na východe krajiny to boli napríklad – Levoča, Prešov, Kežmarok, Spišská Sobota, Bardejov, Košice, na západe – Bratislava, Trnava, Trenčín, Žilina, Nitra. Kráľovské privilégiá do-

Towns evolved in the 12th and 13th centuries from the earlier Slavic settlements situated largely near significant trade routes and rich ore deposits.

From the 13th century, kings granted royal privileges to prosperous towns. These towns therefore became centres of trade, administration, and culture, which in turn, gave rise to extensive building activity. More than 150 towns were granted town privileges by the end of the Middle Ages but only 24 of them were proclaimed free royal towns. The first town to be awarded royal status was Trnava, by King Belo IV (1225–70) in 1238.

The economic and cultural development of the country was hit hard by the Tartarian invasion in 1241–43. They plundered the country, and famine broke out after their departure. To resettle the deserted land, rulers invited colonists, mostly from what is now Germany, who brought with them their culture and legislation as well as technical innovation.

Mining towns, producing huge amounts of copper, gold and silver – Banská Bystrica, Kremnica and Banská Štiavnica in Central Slovakia – as well as those in the Spiš Region yielding copper and iron ore, played an important role in medieval Slovakia. Vast quantities of copper from Banská Bystrica were exported to Germany, Venice, and further, to Syria, Africa and Asia. Spiš copper was exported to Poland, from where it went on to Sweden, Antverpen, and London.

Other towns developed near trade routes leading from the Baltic Sea to the Mediterranean. Such towns include Levoča, Prešov, Kežmarok, Spišská Sobota, Bardejov and Košice in the east, and Trnava, Brati-

stal aj Pukanec, Martin, Skalica, Ružomberok, Sabinov či Rožňava a ďalšie.

Od 14. storočia sa kráľovské mestá opevňovali a dotvárali sa ich jadrá s trhovým námestím, lemovaným výstavnými patricijskými domami, farským kostolom a radnicou. Súčasťou miest boli kláštory žobravých reholí, stavané popri mestských hradbách, sirotince, chudobince, špitály, školy a združovali sa početné cechy.

V banských mestách v Kremnici a Banskej Bystrici sa na ochranu výnosov z ťažby drahých kovov, a v Kremnici aj na úschovu peňazí vyrobených v kráľovskej mincovni, vybudovali opevnené hrady s kostolom a radnicou.

Do 15. storočia vzniklo na Slovensku niekoľko stavebných centier vrcholnej gotiky, napríklad Bratislava s výstavbou radnice, prestavbou hradu a mesta, na strednom Slovensku banské mestá a na východnom Košice, Bardejov a ďalšie. Architektonický výraz stredovekých miest sa počas historického vývoja výrazne menil.

V 16. storočí priniesla turecká hrozba, víťazstvom Turkov pri Moháči, vlnu prestavieb mestských opevnení na mohutné renesančné pevnosti. Vznikali a modernizovali sa napríklad opevnenia Komárna, Nových Zámkov, Leopoldova, Bratislavy, Košíc.

V období renesancie stavali sa na námestiach meštianske domy so širokými fasádami ukončenými atikou s dekoratívnymi článkami a sgrafitami, maľbami s figurálnymi motívmi a stĺpovými arkádami v átriových dvoroch. Na východnom Slovensku sa vytvorila regionálna podoba renesančnej architektúry, ktorá sa zachovala najmä v Prešove a Levoči. Na námestiach v Bardejove a Levoči postavili skvosty architektonického umenia – renesančné radnice.

Po porážke osmanských vojsk roku 1683 sa v architektúre na Slovensku rozšíril barok. Najmä Mária Terézia (1740–80) bola naklonená veľkolepej výstavbe miest. Stavali a prestavovali sa kláštorné komplexy, kostoly, prepychové paláce. Počet druhov remesiel v mestách vzrástol na 140, cechov do 100. Obchodovanie organizovala gilda obchodníkov.

Stavebný rozmach v 19. storočí nastal predovšetkým v mestách, ktorých sa priamo dotýkal rozvoj dopravy, najmä železníc a začínajúci priemysel. Výzor miest výrazne poznamenal aj návrat k historizujúcim slohom.

Začiatkom 20. storočia secesia a slovenská moderna obohatili mestskú architektúru o mnohé významné architektonické diela.

slava, Trenčín, Žilina, and Nitra in the west. Royal privileges were also granted to Pukanec, Martin, Skalica, Ružomberok, Sabinov and Rožňava.

From the 14th century royal towns were protected by walls, and in the centre there was a market square bordered by prestigious aristocratic houses, a parish church and the town hall. Monasteries of mendicant orders – situated along the town walls – orphanages, poor people's homes, and hospitals sprang up in towns. Schools and numerous guilds were established in every big town.

In mining towns, like Kremnica and Banská Bystrica, fortified castles with churches and a town halls were erected to protect the yield from the mining of precious metals. Kremnica castle also served for storage of coins produced by the royal mint.

A few centres of outstanding Gothic architecture had formed in Slovakia by the 15th century. These included Bratislava with its town-hall, reconstructed castle and town buildings, some mining towns in central Slovakia, and Košice and Bardejov in eastern Slovakia. Although the architectural appearance of medieval towns changed over the centuries, they retained their medieval character.

As the Turkish army approached Slovakia in the 16th century, many towns were heavily fortified and converted into massive Renaissance fortresses. This applies, for instance, to Nové Zámky, Leopoldov, Komárno, Bratislava, Košice and others.

The Renaissance period gave rise to burgher houses with broad façades, completed by attics with decorative elements and sgraffito, paintings with figurative motifs, and column arcades in atriums. A regional version of Renaissance architecture evolved in eastern Slovakia where it can still be admired, particularly at Prešov and Levoča. Treasures of architecture – Renaissance town halls – were erected in the squares at Bardejov and Levoča.

After the Ottoman troops were crushed (1683), Slovak architecture was dominated by the Baroque style. The reign of Maria Theresa (1740–80) was particularly favorable to the grandiose development of towns, as lavish monasteries, churches and luxurious palaces were erected or reconstructed. The number of handicrafts in the towns increased to 140 and the guilds to 100. All trade was organized by the trade-guilds.

In the 19th century, major building activity started, chiefly in towns influenced directly by the development of transport, esp. railroads as well as by the developing industry. The architecture of those days clearly resumed earlier historic styles.

Art-Nouveau and Slovak modernism enriched the town architecture with many noteworthy architectural masterpieces at the beginning of the 20th century.

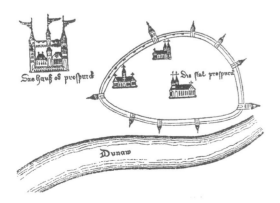

Najstarší plán mesta Bratislavy.

The oldest plan of Bratislava.

začala prejavovať moderna – Výstavný pavilón Umeleckej besedy slovenskej, Národná banka, obytný dom Manderla, Družstevné domy, Avion a ďalšie.

The area which is now **Bratislava** was inhabited as early as five thousand years B. C.

Here, the Celts minted their silver coins called Biatec and Nonnos in the 2nd century B. C.

Slavic people settled here permanently in the 5th–6th century.

Between the 10th and 12th centuries, the villages spread out below the castle hill joined and gave rise to a prosperous town whose residents were engaged in trade, vine-growing and handicrafts. King Andrew III granted Bratislava the privileges of a free royal town which further boosted its growth.

In 1465, the King Matthias Corvinus, founded in Bratislava the first university in the Hungarian Kingdom – the Academia Istropolitana.

Over time, the town's major buildings, such as the castle, town-hall, churches *(A view of St. Martin's Cathedral and the city of Bratislava from the castle)*, burgher houses and town walls, were built and repeatedly reconstructed, as Gothic, Renaissance, Baroque and other architectural styles replaced one another.

In 1536, Bratislava became the capital of Hungarian Kingdom, i. e. it became the seat of the central authorities, the coronation town of the kings and, during the reign of Maria Theresa, even the seat of the queen.

During the Baroque period Bratislava acquired more palaces, burgher houses, and churches and also became a cultural centre; W. A. Mozart, J. Haydn, L. van Beethoven, and F. List gave concerts here, and it was the birthplace of J. N. Hummel. *(Picture above – Bratislava in the 1740ties by J. G. Pitz, F. B. Werner, Th. Scheffler, engraving).*

In the 18th and 19th centuries, manufacture gave way to factories and industrial complexes such as Dynamit Nobel, Stolwerck and Apollo.

Offices, banks and schools were built, first in the Classicist and later in a historized style.

Art Nouveau dominated architecture in the early 20th century while Modernist styles, typified by the Exhibition pavilion of the Umelecká beseda slovenská, National Bank, the apartment block Manderla, collective cooperative housing, and the Avion building, appeared in the 1930s.

Bratislava. Hlavné mesto Slovenska.
Bratislava. Capital of Slovakia.

Bratislava. Územie mesta bolo obývané už v piatom tisícročí pred n. l.
V druhom tisícročí pred n. l. tu Kelti razili svoje obchodné platidlo Biatec a Nonnos.
Slovania sa na území mesta usídlili v 5.–6. storočí. Z niekoľkých osád pod hradným návrším sa v 10.–12. storočí vytvorilo mesto prosperujúce v obchode, vinohradníctve a remeslách.
Kráľ Ondrej III. roku 1291 mestskými privilégiami potvrdil jeho rozmach.

Kráľ Matej Korvín založil v Bratislave roku 1465 prvú univerzitu v Uhorsku – Academiu Istropolitanu.
V znamení stavieb a prestavieb architektonických dominánt – hradu, radnice, kostolov *(pohľad na Dóm sv. Martina a panorámu Bratislavy z hradného návršia)*, meštianskych domov a opevnenia mesta – sa niesli storočia gotiky, renesancie, baroka i ďalších slohov architektonického vývoja.
Roku 1536 sa Bratislava stala hlavným mestom Uhorska s ústrednými úradmi, korunovačným mestom uhorských kráľov a za vlády Márie Terézie kráľovským sídlom.
Obdobie baroka mesto obohatilo o paláce, meštianske domy a kostoly. Stalo sa aj dôležitým strediskom kultúry. Koncertovali tu W. A. Mozart, J. Haydn, L. van Beethoven, F. List a narodil sa tu J. N. Hummel.
(Na obr. hore – Bratislava v 40. rokoch 18. storočia, J. G. Pitz, F. B. Werner, Th. Scheffler, medirytina.)
V 18. a 19. storočí sa mesto spriemyselnilo. Vznikali mnohé manufaktúry, neskôr priemyselné komplexy – Dynamit Nobel, Stolwerck, Apolka.
Stavali sa úrady, banky, školy, meštianske domy v klasicistickom, neskôr historizujúcom slohu.
Začiatkom 20. storočia v architektúre kulminovala secesia a v 30. rokoch sa

Veža radnice podľa rytiny pred rokom 1570.
*The Town-hall tower, according to an engraving
made before 1570.*

Nárožná veža **mestskej radnice** bola koncom 13. storočia súčasťou domu richtára Jakuba. Na začiatku 14. storočia k nej pristavali poschodové krídlo, v 16. storočí ju rozšírili o susedný Ungerov dom, roku 1773 vežu radnice barokovo upravili a roku 1912 objekt rozšírili v neogotickom a neorenesančnom slohu do Primaciálneho námestia. V interiéri sa zachovala vzácna gotická kaplnka s pôvodnými maľbami.

The corner tower of the Bratislava **town hall** was once a part of Mayor Jacob's house at the end of the 13th century. A wing was added to it in the early 14th century, and the adjoining Unger's house was added in the 16th century. The town hall tower was restored in Baroque stylc in 1773 and the building was enlarged in the Neo-Gothic and Neo-Renaissance styles at the expense of Primaciálne Square in 1912. A priceless Gothic chapel with original paintings was preserved in the interior.

41

Bývalý letný **arcibiskupský palác** prestavali podľa plánov F. A. Hillebrandta v rokoch 1761–65 z pôvodne renesančného kaštieľa zo 17. storočia. V záhrade paláca mal dielňu slávny viedenský sochár J. R. Donner.

The former summer **palace of the archbishop** was rebuilt from the 17th century Renaissance manor house according to the plan of F. A. Hillebrandt in 1761–65. In the garden of the palace there was the workshop of the famous Vienna sculptor G. R. Donner.

Michalská brána s mohutným barbakanom je súčasťou mestského opevnenia, ktoré začali stavať v 13. storočí. V rokoch 1529–34 bránu nadstavili a v polovici 18. storočia barokovo zastrešili.

Michael's Gate with its huge barbacan is part of the town walls on which construction began in the 13th century. The gate was enlarged between 1529 and 1534 and received a Baroque roof in the mid-18th century.

Primaciálny palác dal postaviť na mieste stredovekej stavby v rokoch 1777–81 v duchu francúzskeho klasicizmu kardinál Baťáni. Štvorkrídlovú budovu s kaplnkou projektoval M. Heffele, iluzívna nástenná maľba na strope kaplnky je dielom F. A. Maulbertscha a sochárska výzdoba F. X. Messerschmidta. V Zrkadlovej sieni bol roku 1805 podpísaný s Napoleonom Bratislavský mier.

The Primatial Palace was built on the orders of Cardinal Batthyány, on the site of a former medieval building, between 1777 and 1781. The four-winged building with the chapel was designed by M. Heffele. The Illusionist murals on the chapel ceiling and the sculptures are by F. A. Maulbertsch and F. X. Messerschmidt. The Bratislava Peace Treaty with Napoleon was signed in the Mirror Hall in 1805.

Neorenesančnú budovu **Slovenského národného divadla** postavili roku 1886 podľa projektov F. Fellnera a H. Helmera na mieste staršej divadelnej budovy. Alegorické sochy na priečelí divadla a Ganymedovu fontánu vytvoril V. Tilgner.

The Neo-Renaissance building of the **Slovak National Theater** was designed by F. Fellner and H. Helmer, and built in 1886 in place of an earlier theatre. The Allegorical statues at the theatre front and Ganymede's fountain were made by V. Tilgner.

Výstavný pavilón Umeleckej besedy slovenskej sa pokladá za medzník vo vývoji slovenskej architektúry. Pavilón postavili v rokoch 1924–25 podľa projektu architektov A. Balána a J. Grossmanna.

The exhibition pavilion of Umelecká beseda slovenská was the first building of Slovak Modernism. The pavilion was built in 1924–1925 according to the project of architects A. Balán and J. Grossmann.

Trenčín sa spomína ako trhová osada už roku 1111 – Civitas Treinchen a kráľovský strážny hrad, ktorý vznikol na mieste staršieho slovanského hradiska, už v 11. storočí. Roku 1324 dostal mestské výsady a roku 1412 privilégiá slobodného kráľovského mesta.

Mesto ničili turecké nájazdy, stavovské povstania a živelné pohromy. Veľký požiar roku 1528, ktorý zachvátil celé mesto s hradom, si vyžiadal rozsiahle prestavby. Renesančné opevnenie postavili v rokoch 1556–60 pod vedením talianskeho staviteľa Pietra Ferrabosca. V renesančnom duchu prestaval v rokoch 1553–58 Sebastiano farský kostol.

O sto rokov neskôr v centre mesta jezuiti postavili barokový kláštorný komplex s Kostolom sv. Františka Xaverského a roku 1708 na námestí morový stĺp.

The first reference to the town of **Trenčín** dates from 1111. It was referred to as a market village "Civitas Treinchen" and the royal border guard castle was founded on the site of a previous fortified settlement. In 1324 it was granted the privileges of a town and in 1412 it became a free royal town.

The town was successively destroyed by Turkish raids, gentry revolts and natural disasters. A big fire in 1528, which damaged the whole town as well as the castle, resulted in major reconstruction. The Renaissance walls were built by Italian masterbuilder Pietro Ferrabosco in 1556–60 and the parish church was restored in Renaissance style by Sebastiano in 1553–58. A hundred years later, Jesuits erected a Baroque monastery complex and the Church of St. Francis of Xavier. A memorial plague column was erected in the square in 1708.

Remeselnícke a trhové stredoveké mesto **Žilina** bolo založené na križovatke obchodných ciest pri vážskom brode. Prvá správa o meste je z roku 1208, roku 1312 získalo mestské práva a roku 1378 tu spísali súbor mestských právnych zvyklostí – Žilinskú knihu.
Známe je aj Privilégium Pro Slavis

z roku 1381, ktoré hovorí o paritnom zastúpení Slovákov a Nemcov v mestskej rade.
Pravidelný štvorcový pôdorys mesta sa vyvinul v 14. storočí a napriek mnohým prestavbám mesta sa zachoval dodnes. Mestu v jadre dominuje gotický, niekoľkokrát prestavovaný farský Kostol najsv. Trojice *(na obr.)*, zvonica z roku 1550 a na námestí barokové súsošie Immaculaty z roku 1738. Významným architektonickým dielom je aj synagóga z rokov 1929–31 podľa návrhu berlínskeho profesora P. Behrensa.
Na pravom brehu Váhu sa nachádza Budatínsky zámok, pôvodná kráľovská pohraničná strážna pevnosť z polovice 12. storočia.

The medieval handicraft and market town of **Žilina** was founded at an intersection of trade routes near a ford across the River Váh. The first reference to the town dates back to 1208. Žilina was granted town privileges in 1312, and a set of town legal customs – the Book of Žilina – was written here in 1378. The privilege "Pro Slavis" from 1381, concerning the parity of participation of Slovaks and Germans in the Town Council, is also well-known.
The town's regular square groundplan developed in the 14th century. Later buildings respected the earlier foundations of medieval burgher houses. The town centre is dominated by the repeatedly reconstructed Gothic Parish Church of the Holy Trinity *(picture)*, as well as a 1550 belfry and Baroque Immaculata statuary built in the square in 1738.
The synagogue erected in 1929–31, and designed by the Berlin professor P. Behrens, is also a superb architectural masterpiece.
Budatín Castle, originally a royal stronghold from the mid 12th century, is situated on the right bank of the river Váh.

Trnava. Z trhových osád na hlavných obchodných cestách sa vytvorilo prosperujúce stredoveké mesto, ktorému kráľ Belo IV. roku 1238 udelil ako prvému na území Slovenska privilégiá slobodného kráľovského mesta. V 13.–14. storočí bolo vybudované mestské opevnenie, sformovali sa námestia, stavali sa meštianske domy. Architektonicky významné kostoly a kláštory, napr. Kostol sv. Mikuláša, Kostol sv. Heleny, Kostol sv. Jakuba s kláštorom františkánov, barokový Kostol sv. Jána Krstiteľa a ďalšie, priniesli Trnave pomenovanie Slovenský Rím.
Mesto zohralo významnú úlohu v kultúrnych dejinách Slovenska. V 14. storočí sa tu konali diplomatické rokovania medzi českými a uhorskými kráľmi. Od roku 1554 takmer po tri storočia tu sídlilo ostrihomské arcibiskupstvo a od založenia Trnavskej univerzity roku 1635 bola Trnava aj významným univerzitným centrom.

V historickom jadre mesta sa zachovalo mnoho vzácnych architektonických pamiatok, napr. mestská veža z roku 1574, renesančný arcibiskupský palác a súbor barokových univerzitných budov zo 17. a 18. storočia, klasicistická mestská radnica z 18. storočia, budova divadla z roku 1831 a ďalšie objekty.

Market settlements merged to give rise to the prosperous medieval town of **Trnava**. King Belo IV declared it a free royal town in 1238. Trnava thus became the first Slovak town to be granted this privilege. The town walls, squares and burgher houses were built in the 13th and 14th centuries. Trnava was nicknamed „Slovak Rome" thanks to the fine architecture of its numerous churches and monasteries, namely the St. Nicolas Church, St. Helen's Church, St. Jacob's Church and Franciscan monastery, and the Baroque Church of John the Baptist.
The town has played an important role in

Slovakia's cultural history. Diplomatic negotiations between the kings of Bohemia and Hungarian Kingdom were conducted here in the 14th century. For nearly three centuries (from 1554) Trnava was the seat of the Esztergom archbishops, and after the establishment of Trnava University in 1635 it was also a significant university centre.
A city tower from 1574, a Renaissance Archbishops' palace, several Baroque university buildings from the 17th and 18th centuries, a town-hall, built in a Classicist style, from the 18th century, a theater, and other historical buildings have been perserved.

Obraz v Kostole sv. Mikuláša znázorňuje procesiu s obrazom Trnavskej Panny Márie cez námestie roku 1710, po ktorej zázračne prestal v Trnave mor.
A painting in St. Nicolas church depicts a procession marching across the square, carrying a likeness of the Virgin Mary of Trnava in 1710, after which an epidemic of plague in the town miraculously came to an end.

45

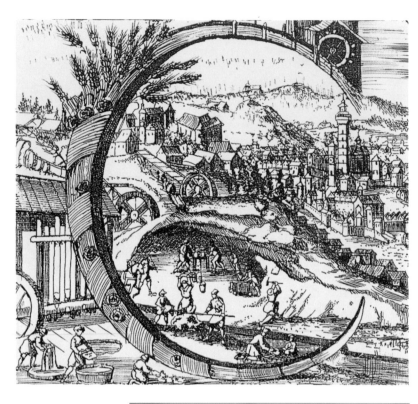

Kremnica patrila medzi najvýznamnejšie banské mestá na strednom Slovensku. Kráľ Karol Róbert jej roku 1328 udelil privilégiá slobodného kráľovského mesta.

Kremnica was one of the most important mining towns in central Slovakia. It was granted free royal town privileges by King Charles Robert in 1328.

Dominantu tvorí mestský hrad z 13.–15. storočia s dvojitým opevnením, gotickým Kostolom sv. Kataríny a karnerom *(na obr. hore vpravo)*. Námestie lemujú pôvodné gotické domy, radnica a kláštor františkánov. V 15.–16. storočí vybudovali mestské opevnenie.

Najstarší obraz Kremnice sa zachoval z rokov 1550–60 *(na obr. hore vľavo, detail)*.

V rokoch 1765–1772 postavili na štvorcovom námestí morový stĺp najsv. Trojice, dielo talianskeho sochára D. I. Stanettiho *(na obr. vľavo)*.

V Kremnici vznikla roku 1328 mincovňa. Razili v nej zlaté florény *(na obr. zlatý florén kráľa Karola Róberta)*, toliare, kremnické zlaté dukáty – od roku 1335 najvyhľadávanejšie platidlá v Európe a od začiatku 16. storočia aj medaily. Táto najstaršia mincovňa v Európe pracuje v pôvodných priestoroch nepretržite dodnes.

Z čias slávneho baníctva sa zachovalo množstvo unikátnych technických pamiatok, bansko-hutníckych diel, dokumentujúcich rozvoj baníctva a hutníctva na Slovensku.

Kremnica is dominated by a castle erected in the 13th – 15th centuries *(picture above right)*. It has two walls, the Gothic St. Catherine's Church and a charnel-house. The main square is bordered by original Gothic houses, a town hall, and a Franciscan monastery. The town walls date from the 15th and 16th centuries.

The oldest depiction of Kremnica is from the years 1550–60 *(picture above left, detail)*.

The memorial plague column of the Holy Trinity, made by D. I. Stanetti between 1765 and 1772 *(picture left)*, is a superb example of Baroque architecture.

A mint was established here in 1328. It produced golden florens, toliars, Kremnica golden ducats (the most popular coins in Europe from 1335) and since the 16th century, also medals. *(See picture of a floren made under the reign of King Charles Robert.)* This is the oldest operating mint in Europe. A number of unique technological remnants of the mining and smelting facilities, which testify to the once flourishing mining industry in Slovakia, can still be admired in the town.

Banská Bystrica prosperovala už v 14. storočí, kedy nastal veľký rozmach ťažby medených rúd.
Panovník Belo IV. udelil Banskej Bystrici roku 1255 privilégiá slobodného kráľovského mesta. V tom čase stál na námestí farský Kostol Panny Márie, ktorý tvorí jadro neskoršieho mestského hradu *(na obr. dole vpravo).* Mesto chránili hradby zdokonalené v 16. storočí renesančnými talianskymi staviteľmi.
Od 90. rokov 15. storočia v Banskej Bystrici pracoval prvý medzinárodný mediarsky podnik v Európe založený domácim podnikateľom Alexiom Turzom a Jakubom Fuggerom z Augsburgu. Časť medeného hámra sa zachovala dodnes.
Prosperita mesta sa prejavila v honosných renesančných prestavbách meštianskych domov bohatých podnikateľov, napr. Benického dom *(na obr. hore vpravo),* Turzov dom, ale aj radnice a hodinovej veže. V barokovom slohu bol postavený Kostol sv. Františka Xaverského (1695–1715) a ďalšie stavby.
V 19. storočí sa meštianske domy nadstavovali a v duchu eklekticizmu sa menil výraz ich fasád.

Banská Bystrica prospered as early as in the 14th century thanks to a major boom in copper mining. King Belo IV granted Banská Bystrica the privileges of a free royal town in 1255. The parish Church of the Virgin Mary which stood in the square in those days later became the core of the town castle *(picture bottom).*
The town was protected by walls which were improved by Italian Renaissance master-builders in the 16th century.
The first international copper company in Europe operated in Banská Bystrica from the 1490s. It was founded by the local entrepreneur Alexius Thurzo and Jacob Fugger of Augsburg. A copper mill has been partly preserved till the present day.
The town was rich enough to afford the lavish Renaissance reconstruction of the burgher houses of well-to-do entrepreneurs, e.g. Benický house *(picture above right),* Thurzo house, the town-hall and clock tower. The Church of St. Francis of Xavier was built in Baroque style in 1695–1715. In the 19th century, further floors were added to the existing houses and their facades were modified in eclectic style.

47

Banská Štiavnica patrila od stredoveku medzi najvýznamnejšie banské mestá v Európe. O dolovaní drahých kovov, najmä striebra, je prvá písomná zmienka z roku 1075. V tom čase sa už formovalo románske mestské sídlo. Na začiatku 13. storočia stáli v Banskej Štiavnici dva neskororománske kostoly – farský Kostol Panny Márie s karnerom a Kostol sv. Mikuláša (dnes Nanebovzatia Panny Márie). Prosperita baní podmienila výstavbu mesta v ďalších storočiach. V rokoch 1488–91 postavili na Námestí sv. Trojice Kostol sv. Kataríny *(na obr. vpravo hore, za ním stojí radnica prestavaná v 17. a 18. storočí z pôvodne gotického domu). V* 16. storočí prebudovali na protitureckú pevnosť Starý zámok (pôvodne Kostol Panny Márie, *(na obr. vľavo hore)* a v rokoch 1564–71 vybudovali nad mestom pevnosť – Nový zámok *(na obr. vľavo).*

V ďalšom období obohatili mestský interiér o jedinečnú barokovú dominantu – súsošie sv. Trojice od D. I. Stanettiho (1758–63), barokovú Kalváriu (1744–51) a postupne o ďalšie kostoly, školy a domy bohatých mešťanov. V Banskej Štiavnici roku 1762 založili Banskú akadémiu, prvú vysokú školu tohto druhu na svete. Roku 1807 k nej pribudla Lesnícka akadémia. Banská Štiavnica a technické pamiatky v jej okolí boli roku 1993 zapísané do zoznamu svetového kultúrneho dedičstva UNESCO.

Banská Štiavnica was among the most significant medieval mining towns in Europe. The first written reference to the extraction of precious metals, mostly silver, dates back to 1075. A Romanesque town was developing at that time.

In the early 13th century, the town had two late Romanesque churches – the original parish Church of the Virgin Mary, with a charnel-house, and the St. Nicolas' Church (presently the Church of the Assumption of the Virgin Mary).

Owing to the prosperous mines, town construction continued during the centuries that followed. St. Catherine's Church *(picture above right)* was erected in Holy Trinity Square between 1488 and 1491. The Church of the Virgin Mary was converted to an anti-Turk fortress – the Old Castle *(picture above left)*, and another fortress, the New Castle *(picture left),* was built on a hill above the town in 1564–71.

A marvelous Baroque masterpiece – the Holy Trinity statuary by D. I. Stanetti (1758–63) a Baroque Calvary (1744–51) and further churches, schools, and houses for rich burghers were built later.

Banská Štiavnica and the technical remnants of mine works in the vicinity were placed on the UNESCO World Cultural Heritage list in 1993.

Klopačka nad Banskou Štiavnicou od roku 1681 zvolávala klopaním na drevenú dosku baníkov do práce *(na obr.)*. Na okolí sa zachovalo vyše 15 štôlní a niekoľko pôvodných banských diel zo 17.–19. storočia *(na obr. šachta Maximilián)*, ktoré v súčasnosti tvoria Banské múzeum v prírode.

Roku 1749 dal významný vynálezca a zlepšovateľ banskej techniky J. K. Hell do prevádzky prvé vodné čerpadlo na odvádzanie spodných vôd v baniach. Jeho vynález sa rozšíril do Nemecka a Anglicka. Prínosom do banskej techniky boli aj jeho vahadlové a vzduchové čerpacie stroje. V spolupráci so svojím synom M. K. Hellom a S. Mikovíním vyriešil vybudovaním sústavy vodných nádrží pohonný systém v baniach. Roku 1783 v Banskej Štiavnici založili prvú medzinárodnú spoločnosť banských a hutných odborníkov a roku 1816 sa tu konal svetový hutnícky kongres. V svätoštefanskej štôlni zaviedli roku 1828 koľajovú dopravu.

The knocking tower situated above the town of Banská Štiavnica was used to call miners to work by knocking on a wooden board from 1681 *(picture)*. Over 15 adits and other original mine works dating from the 17th–19th centuries have been preserved in the environs of the town creating an open-air museum *(the Maximilián Pit is on the picture)*.

The first water pump for pumping from the mines was constructed by the foremost inventor and innovator J. K. Hell in 1749. His invention subsequently spread to Germany and England. J. K. Hell's other inventions included a weighbeam and air pumps. Along with his son, M. K. Hell, and S. Mikovíni he solved the problem of driving mining machines by building a system of water reservoirs. The first international association of mining and smelting specialists was established at Banská Štiavnica in 1783, and a world metallurgical congress took place there in 1816. A mining academy, the first university of its kind in the world, was established at Banská Štiavnica in 1762, and a an Academy of Forestry was founded there in 1807.

Levoča je písomne po prvý raz doložená roku 1249. Bola významným obchodným centrom a križovatkou obchodných ciest. Sídlila tu samospráva

24 spišských miest a roku 1323 sa Levoča stala slobodným kráľovským mestom. V rokoch 1370–1410 mesto opevnili.

Spišskú gotiku reprezentujú monumentálne kostoly – minoritov a Kostol sv. Jakuba s najvyšším zachovaným dreveným oltárom v Európe *(na obr. Posledná večera z hlavného oltára, detail)*.

Renesanciu reprezentuje radnica z rokov prestavby 1559–1615 *(na obr.)*, bohaté meštianske a patricijské domy s atikami *(na obr.)* a dvorovými arkádami i súbor renesančných epitafov v Kostole sv. Jakuba.

Levoča bola významným kultúrnym centrom. Od roku 1624 tu pôsobila Breuerova tlačiareň, v ktorej vyšiel aj štvorjazyčný Orbis pictus J. A. Komenského.

Najvýznamnejšími cechmi boli medirytecký a zlatnícky. Majster barokového zlatníckeho remesla J. Silaši tu vytvoril množstvo umeleckých liturgických predmetov.

The first recorded reference to **Levoča** dates back to 1249. It was a major trade centre and the intersection of trade routes. Levoča was also the seat of the autonomous administration of 24 Spiš towns and became a free royal town in 1323. The town walls were erected between 1370 and 1410.

Good examples of Spiš Gothic architecture are the monumental Minorite church and St. Jacob's Church with the highest wooden altar in Europe which includes a scene of the Last Supper *(picture, detail)*.
Renaissance buildings include a 1559–1615 town-hall *(picture)*, rich burgher and patrician houses with attics *(picture)* and arcaded courtyards, as well as the Renaissance

tombstones in St. Jacob's Church.
Levoča was an important centre of culture. The Breuer printing house, founded here in 1624, produced J. A. Comenius' four-language Orbis Pictus, among other books.
The most significant guilds in the town were the copper-smiths and jewellers. J. Szilassy, a master of Baroque jewellery, produced a multitude of priceless liturgical objects.

Najstarší údaj o meste **Bardejov** pochádza z roku 1241. Na prelome 13.–14. storočia sa pri staršej slovanskej osade usídlili nemeckí kolonisti, ktorým kráľ Karol Róbert udeľoval rozsiahle privilégiá mestského charakteru. Roku 1376 udelil Bardejovu štatút slobodného kráľovského mesta. Právo skladu, oslobodenie od kráľovského mýta, monopol na bielenie a výrobu plátna, ale predovšetkým obchodná činnosť podporili v stredoveku prosperitu mesta a jeho stavebný rozmach. V 14. storočí začali stavať mestské opevnenie, farský Kostol sv. Egídia *(na obr. tabuľová maľba z oltára Narodenia Pána z roku 1490)*, meštianske domy s vysokými štítovými strechami *(na obr.)* a v rokoch 1505–11 pod vedením majstrov Alexandra a Alexia postavili gotickorenesančnú radnicu *(na obr.)*.
Na začiatku 16. storočia nastal veľký rozmach vedy, kultúry a umenia sústredený okolo mestskej humanistickej školy. Takto sa Bardejov stal centrom vzdelanosti severovýchodného Uhorska. V 18. storočí tu vzniklo židovské suburbium.
Bardejovské Kúpele navštívila v 18. storočí cisárovná Mária Lujza a neskôr Alžbeta Rakúska.

Bardejov was first referred to in 1241. German colonists settled here in the former Slavonic village in the late 13th and early 14th centuries. They were granted extensive municipal privileges by King Charles Robert, and ultimately, in 1376, Bardejov was declared a free royal town.
The right to keep shop, exemption from royal taxes, the exclusive right to manufacture and bleach cloth, but mainly trade, gave rise to the town's medieval prosperity and extensive construction. The construction of the town walls, the parish Church of St. Egidius *(see picture of table painting from the Nativity altar, 1490)* and the burgher houses with high gables *(Gothic house in picture),* began in the 14th century, while the Gothic-Renaissance town hall was erected by master-builders Alexander and Alexius between 1505 and 1511 *(picture).*
A great boom in science, culture and art, concentrated in the municipal humanistic school, started at the beginning of the 16th century. Bardejov thus became a regional centre of education. A Jewish suburb emerged here in the 18th century.
In the same century, the nearby spa of Bardejovské Kúpele was visited by Empress Mary Louisa and, later, Elizabeth of Austria.
In 1986 the town was awarded a European prize, the Golden Medal for the Salvage and Restoration of the Cultural Heritage.

Územie **Prešova** bolo osídlené slovanským obyvateľstvom už v 9. storočí. Svojou polohou na dôležitých obchodných cestách si v stredoveku vyslúžilo významné postavenie a roku 1374 dostalo privilégiá slobodného kráľovského mesta.

Uprostred námestia začali v polovici 14. storočia stavať farský Kostol sv. Mikuláša a po roku 1374 opevňovať mesto *(na obr. bašta z mestského opevnenia)*. Stavebný ruch pokračoval celé 15. a 16. storočie. Mesto je bohaté na umelecké stvárnenie renesančných priečelí meštianskych domov a palácov. Takým príkladom je reprezentačný Rákociho palác s typickou renesančnou atikou zdobenou sgrafitom.

Roku 1660 františkáni prestavali kostol a kláštor karmelitánov zo 14. storočia. a od druhej polovice 18. storočia. sa nad mestom vyníma baroková Kalvária.

Dnes je už súčasťou mesta aj obec Solivar s tradíciou ťažby soli od stredoveku s celým komplexom barokových objektov – technických pamiatok.

The **Prešov** area was settled by the Slavs as early as in the 9th century. Owing to its location at the intersection of trade routes the medieval town flourished and was declared a free royal town in 1374. Construction of St. Nicolas' Parish Church in the square began in the mid 14th century and that of the town walls after 1374 *(see picture, bastion from the town walls)*. Building activity continued throughout the 15th and 16th centuries. Many burgher houses and palaces have rich Renaissance façades exemplified by the luxurious Rákoci palace with a typical Renaissance sgraffito adorned attic. In 1660, Franciscans re-built the Carmelite church and monastery dating from the 14th century. The town is dominated by the Baroque Calvary which was built in the mid-18th century. The nearby village of Solivar, with a number of Baroque buildings and technical remnants related to salt mining, has been incorporated into Prešov.

Košice developed from Slavonic settlements, situated between Krásna nad Hornádom, the site of a Benedictine abbey which was consecrated in 1143, and a medieval royal castle guarding the major intersection of trade routes. The earliest written reference to the city dates back to 1230. The king granted Košice town privileges in 1249 and declared it a free royal town in 1342.

The parish Church of St. Elizabeth, a royal residence, and a hospital stood here as early as in the late 13th century. The reconstruction of the St. Elizabeth Cathedral as well as the construction of the St. Michael charnel-house and patrician houses began in 1380.

An individual belfry, or so-called Urban tower, was erected later. The city flourished not only because of its favorable location but also thanks to the commercial and manufacturing activities of its guilds. The city was granted the exclusive right to produce fustian and, subsequently, to bleach cloth in 1419. In the Middle Ages the city was protected by walls, and in the 16th and 17th centuries it was converted into an impregnable fortress with a star-shaped citadel encircled by three walls and a moat. The town was rebuilt after a mid-16th-century fire.

A Jesuit university with a printing house was established here in 1657. From the 18th century, palaces and houses were built in Baroque and later in Classicist (Forgach Palace), historizing (Jakab Palace) and Art-Nouveau styles *(picture)*. Besides several churches and monasteries, a theatre and a synagogue were built as well. The city's constructed area increased several times as building activity spread beyond its walls.

Košice vznikli zo slovanských osád medzi Krásnou nad Hornádom, kde r. 1143 vysvätili benediktínske opátstvo a stredovekým kráľovským hradom chrániacim dôležitú križovatku obchodných ciest. Najstaršia písomná zmienka o meste pochádza z roku 1230, roku 1249 dostalo významné mestské privilégiá a roku 1342 titul slobodného kráľovského mesta.

Koncom 13. stor. na námestí stál farský Kostol sv. Alžbety, kráľovský dom a špitál. O sto rokov neskôr začali prestavovať Dóm sv. Alžbety, stavať pohrebnú Kaplnku sv. Michala i patricijské domy, v 15. stor. postavili samostatnú zvonicu, tzv. Urbanovu vežu. Mesto prosperovalo nielen vďaka svojej výhodnej polohe, ale aj z obchodnej a priemyselnej činnosti ce-

chov. Roku 1419 dostalo monopol na výrobu barchetu a neskôr na bielenie plátna.

V stredoveku mesto chránili hradby, ktoré v 16.–17. storočí prebudovali na nedobytnú pevnosť s hviezdicovou citadelou, troma pásmi hradieb a vodnou priekopou. Po požiari v pol. 16. storočia mesto renesančne obnovili. Roku 1657 v Košiciach vznikla jezuitská univerzita s tlačiarňou.

Od 18. stor. sa postupne postavilo množstvo palácov a meštianskych domov v barokovom, neskôr klasicistickom (Forgáčovský palác), historizujúcom (Jakabov palác) i secesnom slohu *(na obr.)*. Pribudlo niekoľko kostolov a kláštorov, divadlo, neskôr synagóga a mesto sa stavebne za hradbami niekoľkonásobne rozšírilo.

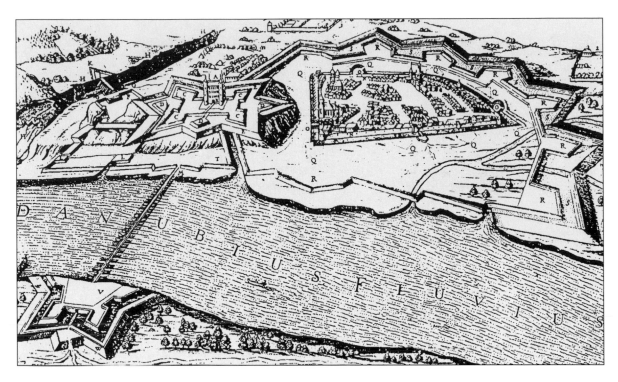

Po bitke pri Moháči roku 1526 gotický sloh v architektúre ustupoval renesančnému ideálu. Turecké výboje v strednej Európe naďalej vyžadovali zosilňovanie opevnení miest a hradov.

V tom čase talianski fortifikační inžinieri stavali okolo miest bastiónové opevnenia a na strategicky významných miestach pevnosti. Zhmotnením ideálneho renesančného projektu sa stali Nové Zámky, Komárno, Leopoldov a hrad Červený Kameň. Nové pevnosti sa budovali najmä na obranu banských miest, napríklad v Banskej Štiavnici postavili Nový zámok a na pevnosť prebudovali aj starý románsky kostol. V Kremnici a Banskej Bystrici vybudovali mestské hrady. Pod tlakom nebezpečenstva tureckých nájazdov sa opevňovali aj niektoré kláštory – Hronský Beňadik, Bzovík.

Pred tureckým vojskom sa na Slovensko, do Horného Uhroska, sťahovala maďarská šľachta. Bratislava sa stala hlavným mestom s centrálnymi úradmi a Dóm sv. Martina po tri storočia korunovačným chrámom uhorských kráľov. Do Trnavy sa presťahovalo ostrihomské arcibiskupstvo.

Nová vrstva šľachty vytvorená z hrdinov protitureckých bojov a na základe ďalších služieb panovníkovi začala v 16. storočí stavať reprezentačné kaštiele. Vzorom pre tento typ stavby sa stal taliansky mestský palác – castello – so štyrmi krídlami, nárožnými vežami a arkádovým dvorom vyzdobeným sgrafitmi. Najreprezentačnejším renesančným sídlom je kaštieľ v Bytči.

Following the battle at Mohacs in 1526 the Gothic style in architecture gave way to renaissance ideals. Turkish raids in central Europe required further strengthening of existing town and castle fortifications and the construction of new ones.

At that time, Italian fortification engineers built bastion fortifications around towns and forts in strategically important places. Some Renaissance projects are exemplified by Nové Zámky, Komárno, Leopoldov and Castle Červený Kameň. New fortresses were erected primarily to defend mining towns. For example the New Castle at Banská Štiavnica, where even an old Romanesque church was converted into a fort, as well as the town castles at Kremnica and Banská Bystrica. Some monasteries, such as Hronský Beňadik and Bzovík, were also fortified to repel the Turkish assaults.

The Hungarian gentry from the south of the country fled to Slovakia to escape the Turkish invasion. Bratislava became the capital and the seat of the central administration and for three centuries it was the coronation town. Esztergom primacy was relocated to Trnava.

New aristocrats – formerly common people who were rewarded for their merits, largely in the anti-Turk wars – began to built luxurious mansions in the 16th century. They were modelled after Italian town palaces (castellos) with four wings, corner towers, and an arcaded court yard decorated with sgraffito. The most luxurious Renaissance mansion is that in Bytča.

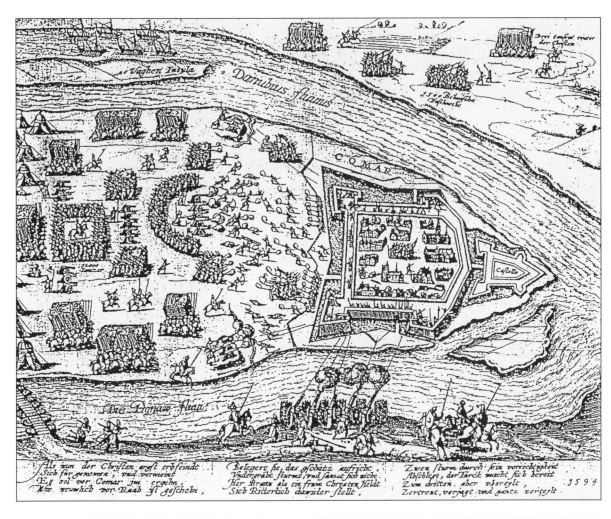

Opevnené mesto **Komárno** obliehané Turkami roku 1594. Medirytina z prvej polovice 17. storočia.

The fortified town of **Komárno** under a Turkish attack in 1594. Copper engraving from the first half of the 17th century.

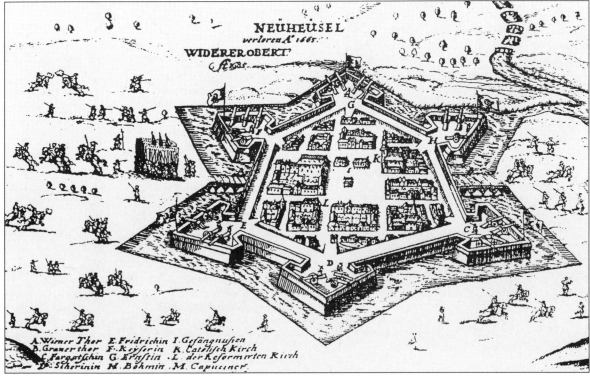

Nové Zámky – protiturecká pevnosť podľa projektov talianskych staviteľov bratov Baldigariovcov roku 1685, lept nemeckého rytca podľa W. Dilicha, 1691.

Nové Zámky – a defensive fortress against the Turks in 1685, etching by a German engraver from the original by W. Dilich, 1691, depicting the project of Italian builders, the Baldigari brothers.

Nové pevnosti mali celú sústavu špe-
ciálnych zariadení. Takou pevnosťou
so štyrmi mohutnými nárožnými baš-
tami sa stal aj hrad z 13. storočia –
Červený Kameň. Je ukážkou rene-
sančného fortifikačného staviteľstva
na Slovensku.
Hrad s areálom, medirytina C. Me-
riana podľa nákresu J. Priamiho, 1672
(na obr.).
Pevnosť vybudovali v rokoch 1537–56
talianski stavitelia pre podnikateľskú
rodinu Fuggerovcov. Veľké skladové
priestory mali slúžiť na uskladnenie
medenej rudy pre fuggerovsko-turzov-
skú mediarsku spoločnosť. Neskorší
majitelia Pálfiovci (1583–1945) dali
hrad prestavať na pohodlnú šľachtickú
rezidenciu s bohatou barokovou vý-
zdobou *(na obr. sala terrena, 1670–80,
taliansky štukatér Carpoforo Tencala).*

The new fortresses had many special
installations. One of them was **Červe-
ný Kameň**, a four-winged castle in
the Small Carpathian Mountains,
which guarded the western boundary
of the empire as early as in the 13th
century.
Engraving by C. Merian after a dra-
wing by J. Priami, 1672 *(picture).*
Between 1537 and 1556, Italian forti-
fication engineers converted the castle
into a massive Renaissance fortress for
the Fugger family, exemplifying
Renaissance fortification construction
in Slovakia. The castle had huge stores
where copper ore for the Fugger-
Thurzo copper company was stocked.
The Pálffy family (1583–1945) later
had the castle converted into a com-
fortable aristocratic residence with
a rich barocco decoration *(picture sala
terrena 1670–80, by Carpoforo Tencala).*

Pôvodne stredoveký **hrad v Bytči** dal na reprezentačné renesančné sídlo prestavať jeho majiteľ palatín František Turzo v rokoch 1571–74. Prácu zveril majstrovi Jánovi Kiliánovi z Milána. Arkádové nádvorie obohatili ďalší majitelia Esterháziovci v prvej polovici 18. storočia o fresky postáv uhorských a európskych panovníkov.
Spolu s budovou sobášneho paláca *(na obr. detail)* predstavuje jeden z najkrajších dokladov renesančného staviteľstva na Slovensku.

Originally a medieval **castle, the mansion at Bytča** was rebuilt on the orders of palatine Frank Thurzo in 1571–74 to became a luxurious Renaissance building.
The works were directed by master John Kilian of Milan. In the first half of the 18th century the following owners, the Eszterházys, had the manor's arcaded court yard decorated with frescoes depicting European rulers.
With the wedding palace *(picture, detail)* it is a dazzling reminder of Renaissance architecture in Slovakia.

Renesančná nadstavba veže gotického kostola **v Spišskom Hrhove.**

Renaissance tower superstructure in a Gothic church **at Spišský Hrhov.**

Obdobie renesancie v dôsledku tureckých vpádov i náboženských rozporov po nástupe reformácie a sociálnych nepokojov v krajine neprialo výstavbe sakrálnej architektúry.

Renesancia sa prejavila najmä v rezbárskom umení dekorov na oltároch, napríklad na predele hlavného oltára v Spišskej Sobote, na hlavnom oltári vo Svätom Jure i na epitafoch v Kostole sv. Jakuba v Levoči. Na Spiši, napríklad v Podolínci, Poprade, Strážkach, Kežmarku sa upravovali kostolné veže a osobitne stojace zvonice s malebnými štítkovými atikami na spôsob talianskych kampaníl. V tomto kúte Slovenska sa renesancia prejavila aj vo svetskej architektúre. V Levoči prestavali a v Bardejove postavili radnicu, v Kežmarku, Strážkach, Fričovciach, Betlanovciach, Markušovciach a v mnohých ďalších mestečkách kaštiele. Špecifický slohový prejav tohto regiónu dostal názov východoslovenská renesancia.

As a result of the Turkish invasion, religious revolts – following the onset of the reformation, and social unrest in the country the Renaissance period was not very favorable for the construction of sacral architecture.

The best reminders of it are Renaissance woodcut altar decorations; for instance, those on the partition of the main altar at Spišská Sobota and Svätý Jur, as well as the tombs in St. Jacob's Church at Levoča. Renaissance church towers and individual belfries with picturesque gabled attics in the Spiš region – for example, at Podolínec, Poprad, Strážky, and Kežmarok – were modified in Renaissance style to resemble Italian campanillas. In this part of Slovakia, the Renaissance played a major role in secular architecture as well. A town-hall was built at Bardejov and the one at Levoča was restored. Manors were erected at Kežmarok, Strážky, Fričovce, Betlanovce, Markušovce, and in many other small towns. This specific style is referred to as Eastern Slovakian Renaissance.

Ranogotický **Kostol sv. Michala v Harakovciach** renesančne upravený v prvej polovici 17. storočia.

Spire of the early Gothic **St. Michael's Church at Harakovce** which was refurbished in Renaissance style in the first half of the 17th century.

Najstaršiu **renesančnú zvonicu** na Spiši postavil v rokoch 1586–91 pri **Kostole sv. Kríža v Kežmarku** majster U. Materer, sgrafitovú výzdobu a štítkovú atiku vytvoril majster s iniciálkami H. B. Podobné atikové zakončenie má aj veža kostola.

The earliest Renaissance belfry in the Spiš region was built by master U. Materer, between 1586 and 1591, near the **Holy Cross Church at Kežmarok.** Its sgraffito decorations and gable attic were created by an unknown master whose initials read H. B. The church spire is also topped by a similar attic.

Kežmarský zámok dali postaviť bratia Zápoľskovci v polovici 15. storočia na základoch staršieho hradu. Renesančnú podobu mu dali majitelia Tököliovci. V 16. a v 17. storočí prešiel ranobarokovou prestavbou, ktorá sa završila roku 1658 vybudovaním kaplnky v bývalej bašte.
Po požiaroch a následných rekonštrukciách kaštieľ dnes slúži muzeálnym účelom.

Kežmarok palace was built by the Zápoľský brothers in the mid-15th century on the foundations of an older building. One of the owners, the Thökölis, had the palace refurbished in Renaissance style. In the 16th and 17th centuries it underwent an early Baroque renovation, culminating with the construction of a chapel in the place of a former bastion in 1658. Damaged by several fires and subsequently reconstructed, the palace now houses museum expositions.

Renesančný **kaštieľ v Strážkach** postavili v rokoch 1570–90 na mieste staršieho gotického opevneného hradu. V druhej polovici 18. storočia dostal podobu reprezentačného feudálneho sídla. V kaštieli je bohatá pôvodná knižnica a výstavné priestory.

A **manor at Strážky** was built between 1570 and 1590 on the site of an earlier Gothic fortified castle. In the second half of the 18th century it was converted into a luxurious feudal residence. Nowadays it houses an original library and expositions.

S príchodom jezuitov na Slovensko a s procesom re-katolizácie v 17. storočí sa spájal nový stavebný sloh – barok.

V architektúre dominovali sakrálne stavby, inšpirované univerzitným Kostolom sv. Jána Krstiteľa v Trnave, postavenom podľa vzoru kostola Il Gesú v Ríme. Ovplyvnil výstavbu katolíckych kostolov – v Bratislave, Trenčíne, Košiciach, Prešove, Banskej Bystrici, Skalici.

The arrival of the Jesuits to Slovakia, and the forced reconversion to the Roman Catholic faith in the 17th century, is connected with a new architectural style – baroque.

Architecture at the time was dominated by sacral buildings, exemplified by the Church of St. John the Baptist at Trnava which is similar to the Il Gesu Church in Rome. This architectural style influenced the construction of other Catholic churches in Bratislava, Trenčín, Košice, Skalica, Banská Bystrica, Prešov and other parts of Slovakia.

The dazzling works of Baroque sacral architecture in this country includes the Church of St. John of Matha (Trinity) and St. Elizabeth's Church in Bratislava, the Church of St. Francis of Xavier at Trenčín, a new Minoritan church at Levoča, a Jesuit church in Košice, the Chapel of St John the Almsman near the St. Martin's Cathedral in Bratislava, the Chapels of the Virgin Mary at Trenčianske Bohuslavice and Trnava, the uniquely designed Calvary at Banská Štiavnica, and the monastery complexes of the Premonstrates at Jasov, the Paulinians at Marianka and Šaštín, as well as the memorial plague columns at Banská Štiavnica, Kremnica, Trnava, etc.

Hlavný oltár v **Kostole sv. Mikuláša** v **Prešove.** V strede barokového oltára sv. Mikuláša je pôvodná gotická archa z rokov 1490–1506 s plastikami rezbára J. Weissa a plastikami z dielne Majstra Pavla z Levoče. Baroková drevená oltárna architektúra je z konca 17. a zač. 18. storočia.

The main altar in the Church of **St. Nicolas** in **Prešov.** In the centre of the St. Nicolas Baroque altar there is an original gothic ark from 1490–1506, with statues by the woodcarver J. Weiss and statues from the workshop of Master Paul of Levoča. The wooden Baroque altar is from the end of the 17th and beginning of the 18th century.

Medzi vrcholné diela barokovej sakrálnej architektúry patria napríklad Kostol sv. Jána z Mathy (trinitárov) a Kostol sv. Alžbety v Bratislave, Kostol sv. Františka Xaverského v Trenčíne, nový minoritský kostol v Levoči, košický jezuitský kostol, Kaplnka sv. Jána Almužníka pri bratislavskom Dóme, kaplnky Panny Márie v Trenčianskych Bohuslaviciach a Trnave, ojedinele riešená Kalvária v Banskej Štiavnici, komplex kláštora premonštrátov v Jasove, paulínov v Marianke a Šaštíne i morové stĺpy v Banskej Štiavnici, Kremnici, Trnave a v ďalších mestách.

Monumentálny univerzitný **Kostol sv. Jána Krstiteľa v Trnave** postavili na mieste stredovekého kláštora a dominikánskeho kostola v rokoch 1629–37. Donátor Mikuláš Esterházi zveril výstavbu kostola talianskym architektom Antoniovi a Pietrovi Spazzovcom. Bohatú jedinečnú výzdobu chrámu vytvorili v rokoch 1639–1700 majstri G. B. Rossi, G. Tornini, P. A. Conti, L. A. Columba, E. J. Gruber a ďalší. Hlavný barokový drevený oltár, vysoký 20, 3 m a široký 14, 8 m, zhotovili v rokoch 1637–40 sochár a rezbár B. Knilling, sochár V. Stadler, maliar a pozlacovač V. Knoth a pomocníci K. Knerr a Ferdinand z Cífera.

The monumental university **Church of St. John the Baptist at Trnava** was erected on the former site of a medieval monastery and a Dominican church in 1629–37. Donator Nicolas Esterházi entrusted the church's construction to two Italian architects, Antonio and Pietro Spazza. The rich, unique decoration of the temple was done by masters G. B. Rossi, G. Tornini, P. A. Conti, L. A. Columba,

E. J. Gruber, and others, between 1639 and 1700. The main Baroque wooden altar, (20. 3 m high and 14. 8 m wide) was produced by woodcarver B. Knilling, sculptor V. Stadler, painter and gilder V. Knoth, and their assistants K. Knerr and Ferdinand of Cífer in 1637–40.

61

Kostol sv. Jána z Mathy (trinitárov) v Bratislave postavili podľa vzoru viedenského Kostola sv. Petra v rokoch 1717–25. Iluzívne fresky na kupole a v presbytériu sú dielom talianskeho barokového maliara A. Galliho da Bibiena z rokov 1736–40 *(na obr. interiér, vpravo exteriér)*.

The Church of St. John of Matha at Bratislava was erected by Trinity friars in 1717–25. Illusive frescoes on the nave cupola and on the presbytery were painted by master A. Galli da Bibien in 1736–40 *(picture interior, right exterior)*.

Interiéry barokových kostolov vynikajú veľkolepou výzdobou vďaka svojim mecenášom. Iluzívne maľby klenieb boli projektované naraz s architektúrou v zaujímavých kompozičných a ikonografických vzťahoch. Na tvorbe týchto chrámov sa podieľali väčšinou talianski a rakúski majstri, sústredení okolo panovníckeho dvora vo Viedni, alebo domáci majstri ovplyvnení dvorským umením. S umeleckými skvostmi baroka i nastupujúceho rokoka na Slovensku sú spojené mená: G. A. Galliardi, A. G. Bibiena, G. Chamant, J.L. Kracker, J.R. Donner, J.A. Krauss, Ľ. Gode, G. B. Martinelli, J. B. Fischer, P. I. Troger, F. A. Maulbertsch, J. Silaši, F. A. Pilgram, M. Hefele, F. A. Hillebrandt, G. B. Rosso, J. Kohl a mnohé ďalšie.

Thanks to their donors, the interiors of Baroque churches have splendid decorations. Elusive paintings on arched ceilings, designed concurrently with the architecture, display interesting compositional and iconographic relationships. These churches were built and adorned largely by Italian and Austrian masters concentrated around the imperial court in Vienna or by local masters influenced by the art of the Court. The artistic marvels of Baroque and the advancing Rococo styles are associated with the names of G. A. Galliardi, A. G. Bibiena, G. Chamant, J. L. Kracker, G. R. Donner, J. A. Krauss, Ľ. Gode, G. B. Martinelli, J. B. Fischer, P. I. Troger, F. A. Maulbertsch, J. Szilassy, F. A. Pilgram, M. Hefele, F. A. Hillebrandt, G. B. Rosso, J. Kohl and many others.

Výstavbu kláštorného piaristického **Kostola Najsvätejšej Trojice v Prievidzi** dokončil v rokoch 1740–53 rehoľný staviteľ P. Hangke.
Iluzívnu nástropnú maľbu vytvoril v presbytériu J. A. Schmidt z Banskej Štiavnice a v lodi J. Š. Bopovský.

The Piarist monastery **Church of the Holy Trinity at Prievidza** was completed by the friar and builder P. Hangke in 1740–53. The illusive ceiling paintings in the presbytery were done by J. A. Schmidt from Banská Štiavnica and those in the nave by J. Š. Bopovský.

Kláštorný **Kostol sv. Alžbety v Bratislave** dal postaviť kardinál Imrich Esterházi v rokoch 1739–43 podľa projektu viedenského staviteľa F. A. Pilgrama. Iluzívne maľby na klenbách sú dielom viedenského maliara P. I. Trogera z roku 1742, ktorý vytvoril aj oltárny obraz Klaňanie sv. Alžbety.

The convent **Church of St. Elizabeth in Bratislava** was designed by Viennese master-builder F. A. Pilgram and built on the orders of cardinal Imrich Eszterházy between 1739 and 1743. Illusive paintings on its arched ceiling were created in 1742 by Viennese painter P. I. Troger, who also produced an altar painting depicting the Bowing of St. Elizabeth.

Interiér pôvodne gotického **Kostola Narodenia Panny Márie vo Vranove nad Topľou** barokovo upravili paulíni roku 1735. Autorom nástenných malieb z roku 1754 je rakúsky maliar J. L. Kracker, rezbárske a sochárske práce vytvoril košický sochár J. Hartmann, zlatnícke v rokoch 1759–63 levočský zlatník J. Silaši.

The **interior** of the originally Gothic **Church of the Nativity of the Virgin Mary at Vranov nad Topľou** was modified in the Baroque style by the Paulinians in 1735. The church murals were painted by Austrian master J. L. Kracker in 1754, the wood-carvings and sculptures were created by Košice sculptor J. Hartmann and the gilding by Levoča gilder J. Szilassy (1759–63).

V druhej polovici 17. storočia a v 18. storočí paulíni prevzali viaceré kláštorné komplexy a zakladali aj nové. Za podpory viedenského panovníckeho dvora a vysokého duchovenstva postavili kláštory, napríklad v Šaštíne, v Horných Lefantovciach, Marianke a vo Vranove nad Topľou.

Kláštorný komplex v Šaštíne postavili v rokoch 1733–86 podľa plánu paulínskeho pátra A. Vepiho pod vedením cisárskeho architekta F. A. Hillebrandta, autora hlavného oltára. Nástropné maľby v kostole sú dielom J. J. Chamanta, oltárne obrazy namaľoval J. L. Kracker.

In the second half of the 17th century, and throughout the 18th century, the Paulinians assumed a number of monasteries and founded new ones. With the support of the Viennese imperial court and high clergy they established monasteries at Šaštín, Horné Lefantovce, Marianka, Vranov nad Topľou etc.

The Šaštín monastery complex was designed by Paulinian father A. Vepi, and its construction, from 1733 to 1786, was directed by imperial architect F. A. Hillebrandt who also made the main altar. The ceilings were painted by J. J. Chamant and the altar by J. L. Kracker.

Dejiny **premonštrátskeho kláštora v Jasove** siahajú do druhej polovice 12. storočia. Kláštorný komplex premonštrátov postavili v rokoch 1750–66 na základoch starého opevneného kláštora z rokov 1421–36. Neskorobarokovú stavbu postavil košický staviteľ A. Salzgeber podľa plánov viedenského staviteľa F. A. Pilgrama.
Barokové fresky v kostole a v knižnici jasovského konventu vytvoril rakúsky maliar J. L. Kracker, sochy J. A. Krauss. Kláštorná knižnica obsahuje vzácne rukopisy a inkunábuly.
Kláštor obklopuje francúzska záhrada so vzácnymi drevinami.

In **Jasov,** a **Premonstrate monastery** complex dates back to the second half of the 12th century. It was built between 1750 and 1766 on the foundations of an earlier fortified monastery dating from 1421–36. This late Baroque structure was designed by Viennese builder F. A. Pilgram and built by A. Salzgeber.
Baroque frescoes in the church and in the library of the Jasov convent were painted by Austrian artist J. L. Kracker and the sculptures were done by J. A. Krauss. The monastery library contains priceless manuscripts and incunabules.
The monastery is surrounded by a French garden with exotic trees.

Barokový interiér biskupskej Katedrály sv. Emeráma z rokov 1710–54 na **Nitrianskom hrade**.
Na vytvorení tohto veľkolepého diela sa podieľal F. A. Pilgram a pravdepodobne aj viedenský staviteľ D. Martinelli. Nástropné fresky sú dielom G. A. Galliardiho a J. Š. Bopovského. Kostol pozostáva z troch častí – najstaršia románska tzv. Pribinova kaplnka, Horný gotický kostol z rokov 1333–55 a Dolný kostol z ranobarokovej úpravy z rokov 1622–42.

The Baroque interior of the Bishop Cathedral of St. Emeramus, erected in 1710–54 **in Nitra Castle**.
This magnificent work of art was created by F. A. Pilgram and probably also by Viennese builder D. Martinelli. The ceilings were painted by G. A. Galliardi and J. Š. Bopovský.
The structure of the church consists of three parts and it has several architectural styles. The oldest buildings comprise the so-called Pribina Chapel, the Upper Gothic Church dating from 1333–55 and the Lower Church. The two churches were connected during an early Baroque reconstruction in 1622–42.

Súsošie sv. Martina z roku 1734 je dielom slávneho rakúskeho sochára J. R. Donnera. Bolo dominantou kompozície hlavného baldachýnového oltára **v Dóme sv. Martina v Bratislave**.

The sculpture of St. Martin, which dominates the main baldaquine altar in **St. Martin's Cathedral in Bratislava,** was made by the famous Austrian sculptor G. R. Donner in 1734.

Barokový štvorkrídlový **kaštieľ vo Veľkom Bieli** dal postaviť v rokoch 1722–25 gróf Imrich Čáki podľa plánov architekta A. E. Martinelliho.

The four-winged Baroque **castle at Veľký Biel** was built in the years 1722–25 by count Imrich Csaky with a project by the architect A. E. Martinelli.

Kaštieľ v Markušovciach z poslednej rokokovej prestavby v rokoch 1770–75.
Kaštieľ pôvodne renesančný, so štyrmi kruhovými vežami na nárožiach, dal roku 1643 postaviť František Mariáši. Kaštieľ je obklopený parkom, v ktorom kvôli očakávanej návšteve cisára Jozefa II. začali roku 1778 výstavbu nových objektov. Keďže sa návšteva cisára neuskutočnila, z veľkolepého projektu ostal iba skvostný letohrádok **Dardanely.** V jeho interiéri je umiestnená expozícia klávesových hudobných nástrojov *(na obr. vpravo exteriér a interiér).*

The **manor at Markušovce** underwent its last reconstruction in Rococo style between 1770 and 1775.
The original Renaissance manor, with four circular turrets at the corners, was erected by František Mariassi in 1643. The manor was surrounded by a park in which further elements were to be built in 1778, because of the announced visit by Emperor Joseph II. Eventually the visit was cancelled and the grandiose project dwindled to a single structure, the superb summer house **The Dardanels.** An exposition of keyboard musical instruments is placed in its interior *(pictures right exterior and interior).*

After the victory over the Turks (in 1683) and the revolts of the gentry, intense building activity also started in secular architecture.

Country manors in the Baroque period entirely lost their defensive character. To keep pace with the spirit of the era, the gentry built pompous new residences which had rich interiors with libraries and were surrounded by neat parks and gardens, like those at Bernolákovo, Antol, and Veľký Biel.

Classicist tendencies appeared in architecture in the second half of the 18th century and culminated in the early 19th century. Examples of the Classicistic spirit in architecture include town-halls and redutas (Spišská Nová Ves, Kežmarok), churches (Banská Štiavnica, Levoča, Bratislava-Devín, Žiar nad Hronom, Komárno),

Č ulý stavebný ruch nastal po porážke Turkov roku 1683 a po stavovských povstaniach aj vo svetskej architektúre.
V období baroka začali kaštiele na vidieku úplne strácať pevnostný ráz. V snahe priblížiť sa duchu nových čias šľachta si stavala pompézne sídla, napríklad v Bernolákove, vo Veľkom Bieli, Veľkých Levároch, v Antole, s bohatým vnútorným vybavením a knižnicami, upravenými parkmi a záhradami.

V druhej polovici 18. storočia sa v architektúre začali prejavovať klasicizujúce tendencie, ktoré kulminovali na začiatku 19. storočia. V ich duchu sa stavali radnice a reduty, napríklad v Spišskej Novej Vsi, Kežmarku, kostoly v Banskej Štiavnici, Levoči, Šali, Poprade, Strážskom, v Bratislave-Devíne, Žiari nad Hronom, Komárne a mestské paláce, ako je Primaciálny palác v Bratislave či Forgačovský palác v Košiciach. Na vidieku sa klasicisticky upravovali kaštiele, napríklad v Topoľčiankach, Antole, Michalovciach, Solčanoch, Jelšave, Gbeľanoch, Dolnej Krupej, Sládečkovciach i Veľkom Blhu.

and town palaces such as the Primatial Palace in Bratislava, and Forgach's Palace in Košice. Country manors were also renovated in the Classicistic style, such as those at Michalovce, Topoľčianky, Antol, Solčany, Jelšava, and Dolná Krupa.

Grasalkovičov palác s reprezentačný-
mi priestormi a francúzskou záhradou
je jeden z najkrajších neskorobaroko-
vých palácov **v Bratislave.**
Palác dal po roku 1760 postaviť Anton
Grasalkovič ako letné sídlo podľa ná-
vrhu staviteľa A. Mayerhofera.

Grassalkovich's Palace in Bratislava
with its luxurious rooms and French
garden was built according to
A. Mayerhofer's project, after 1760.

71

Kaštieľ v Topoľčiankach patrí medzi najkrajšie ukážky staviteľského umenia na Slovensku. Patril rodine Topoľčianskovcov, ktorí na základoch gotického hradu dali kaštieľ postaviť v poslednej tretine 17. storočia v renesančnom slohu.
V rokoch 1825–30 južné krídlo kaštieľa klasicisticky prestavali podľa projektu L. Pichlera noví majitelia Keglevičovci. Kaštieľ obklopuje rozsiahly park.

The manor at Topoľčianky is a dazzling example of the building art in Slovakia. It was erected on the foundations of a Gothic castle by the Topoľčiansky family. The manor was rebuilt in the Renaissance style in the last third of the 17th century. New owners, the Keglevichs, had the manor's southern wing refurbished in a Classicist style in 1825–30, accoding to a project by L. Pichler. The manor is surrounded by an extensive park.

Kaštieľ v Dolnej Krupej *(na obr. vpravo)* patril koncom 18. storočia rodine Brunsvikovcov. Dnešnú podobu získal v dvoch etapách prestavby – v rokoch 1793–95 podľa projektov J. Thallera, stavbu viedol viedenský staviteľ J. Hausmann a v rokoch 1818–28 staviteľ A. P. Rigel. Brunsvikovci patrili k najbližším priateľom L. van Beethovena a traduje sa, že tu umelec skomponoval svoju Mesačnú sonátu.

The manor at Dolná Krupá *(picture right)* was owned by the Brunsvik family at the end of the 18th century. Its present-day appearance resulted from a two-stage reconstruction. The first stage, from 1793 to 1795, was directed by Viennese builder J. Hausmann according to J. Thaller's projects, while the second one, in 1818–28, was supervised by master-builder A. P. Rigel. The Brunsviks were among the closest friends of L. van Beethoven, who is believed to have composed his Moonshine Sonata there.

Barokovo-klasicistický štvorkrídlový **kaštieľ v Antole** dal v rokoch 1744–50 postaviť A. J. Kohári na mieste stredovekého hradu z 15. storočia. Interiéry reprezentačného sídla – Cisársky salón, Zrkadlový salón, Prijímací salón *(na obr.)* s galériou obrazov dôstojníkov svojho pluku – zariadil v štýle viedenského rokoka. Plastiky na slávnostnom schodisku sú dielom D. I. Stanettiho a alegorické fresky v kaplnke kaštieľa *(na obr.)* namaľoval A. Schmidt. Kaštieľ obklopuje rozsiahly anglický park.

The Baroque–Classicist four-winged **manor at Antol** was erected on the orders of A. J. Kohari, between 1744 and 1750, on the site of a medieval 15th-century castle. The interiors of this luxurious residence – Imperial salon, Mirror salon, Entrance salon *(picture)* with a portrait gallery of A. J. Kohari's officers – were furnished in the style of Viennese Rococo. The Sculptures in the festival staircase were produced by D. I. Stanetti, while the allegorical frescoes in the manor chapel *(picture)* were painted by A. Schmidt. An English park extends around the manor.

Kostoly v slohu barokového klasiciz-
mu a empíru postavili po vydaní tole-
rančného patentu Jozefom II. (1781)
protestanti v Banskej Bystrici, Tisovci,
Rožňave, Košiciach, Banskej Štiavni-
ci, Levoči a v ďalších mestách.

Klasicistický **kostol ev. a. v.** s centrál-
nym pôdorysom a monumentálnou ku-
polou **v Banskej Štiavnici** postavili
v rokoch 1794–96 podľa projektu ko-
morného staviteľa J. Thallera *(na obr.
hore exteriér a interiér kostola).*

Baroque-Classicist and Empire chur-
ches were built by Protestants after
Joseph II issued a Letter of Tolerance
(1781) in the towns of Banská
Bystrica, Tisovec, Rožňava, Košice,
Banská Štiavnica, Levoča and in other
towns.

The Classicist **Protestant church**
with a central groundplan and a monu-
mental cupola **at Banská Štiavnica**
was designed by the building master
J. Thaller and erected between 1794
and 1796 *(pictures – exterior, interior).*

Príkladom klasicistického štýlu je aj
Kostol sv. Rozálie v Komárne (1848)
a **presbytérium v Kostole sv. Kríža
v Bratislave-Devíne** (1788).

The **Church of the St. Rosalie in
Komárno**, built in 1848, and the **pres-
bytery** of the **St. Cross Church in
Bratislava-Devín,** built in 1788, are good
examples of the Classicist style.

Inú podobu architektúry 19. storočia predstavoval romantizmus, ktorý vychádzal zo slohov predchádzajúcich období. V duchu romantizmu sa prestavovali staršie kaštiele, napríklad v Betliari, Galante, ale stavali sa najmä na vidieku aj kaštiele nové, napr. v Budmeciach, Spišskom Hrhove, Rusovciach, či kaštieľ Kunerád.

Another form of architecture that appeared in the 19th century was Romanticism, which was based on earlier architectural styles. Existing manors at Betliar and Galanta were reconstructed in the spirit of Romanticism, and in the countryside new manors were constructed at Budmerice, Spišský Hrhov, Rusovce, and Kunerád.

Romanticism was also manifest in sacral architecture, for example Blumentál Church in Bratislava and the Protestant church at Kežmarok, and Lučenec.

Late 19th century and early 20th century architecture was dominated by Art-Nouveau and the 1930s by Functionalism. Notable Art-Nouveau structures include the Blue Church in Bratislava, the church at Muľa, Andrássy mausoleum at Krásnohorské Podhradie and a church at Oravská Lesná, the latter being influenced by folk architecture.

Kaštieľ v Betliari zo začiatku 18. storočia predstavuje typické vidiecke šľachtické sídlo, ktoré do dnešnej podoby dali prestavať Andrášiovci roku 1886.
V kaštieli sa nachádza vzácna pôvodná knižnica s dvadsiatimi tisíckami zväzkov, galéria obrazov, poľovnícke trofeje, empírový i klasicistický pôvodný inventár.
Od konca 18. storočia kaštieľ obklopuje krásny anglický park podľa projektu známeho záhradného architekta H. Nebbiena.

A **manor-house at Betliar** from the beginnig of the 18th century. The manor is a typical countryside gentry residence, rebuilt from an earlier building by the Andrássys in 1886.
The manor contains a precious original library with twenty thousand volumes, an art gallery, a trophy room, and original Empire and Classicist furnishings.
At the end of the 18th century a beautiful English park was created according to a project by the well-known landscape architect H. Nebbien.

Romantizmus sa uplatnil aj v sakrálnej architektúre, čoho príkladom je Blumentalsky kostol v Bratislave, evanjelické kostoly v Kežmarku a v Lučenci.

Začiatkom 20. storočia nastúpila aj u nás secesia, v tridsiatych rokoch funkcionalizmus. Zo secesných stavieb je pozoruhodný napríklad Modrý kostolík v Bratislave, kostol v Muli, hrobka rodiny Andrášiovcov v Krásnohorskom Podhradí alebo kostol v Oravskej Lesnej ovplyvnený ľudovou architektúrou.

Kaštieľ v Budmericiach dala podľa projektov architekta A. Neumanna v štýle romantizujúcich pseudoslohov postaviť roku 1889 rodina Pálfiovcov.

The Budmerice manor was erected by the Pálffy family in a romanticizing pseudostyle in 1889.

Neobarokový **kaštieľ v Spišskom Hrhove** dal postaviť podľa projektov architekta H. Adama v rokoch 1893–95 Viktor Čáky .

The Neo–Baroque **manor at Spišský Hrhov** was built on the orders of Viktor Csáky according to H. Adam's projects in 1893–95.

Samostatným typom šľachtického sídla sú romantické zámky, ktoré vznikli zväčša prestavbou stredovekých hradov v duchu rytierskej romantiky 19. storočia. Azda najpôsobivejším z nich sú Bojnický a Smolenický zámok, oba pôvodne v majetku rodiny Pálfiovcov.

Zmienky o **Bojnickom zámku** siahajú do začiatku 12. storočia. Kráľovský hrad vlastnil aj Matúš Čák Trenčiansky, v 15. storočí Zápoľskovci, neskôr Turzovci, v rokoch 1643 -1918 Pálfiovci.
Dnešnú podobu dal Bojnickému zámku v poslednej prestavbe v rokoch 1899–1909 Ján Pálfi. Prestavbu viedol architekt J. Hubert inšpirovaný francúzskymi romantickými hradmi na rieke Loire.
K najvzácnejším zámockým interiérom patrí Zlatá sála s tzv. anjelským stropom *(na obr.)*, Orientálny salón, zámocká kaplnka z roku 1662 a hrobka so sarkofágom Jána Pálfiho.
Pod zámkom sa nachádza hradná kvapľová jaskyňa a archeologické nálezisko z paleolitu.

Another kind of gentry residences are the romantic palaces which mostly originated from the reconstruction of medieval castles in the chivalrous spirit of the 19th-century.
The most impressive ones are the Bojnice and Smolenice castles, both of which were originally owned by the Pálffy family.

The earliest references to **Bojnice Castle** date back to the beginning of the 12th century. The royal castle, for example, belonged to Matúš Čák of Trenčín, then to the Zápoľskýs and the Thurzos in the 15th century and to the Pálffys from 1643 to 1918.
The castle owes its present appearance to the last reconstruction in Romantic style ordered by Ján Pálffy and directed by the architect J. Hubert (1899-1909). They were inspired by monumental medieval French architecture.
The fine castle interiors comprise the Golden Hall with the so–called angel ceiling *(picture)*, the Oriental lounge, the castle chapel, dating from 1662, and a mausoleum with Ján Pálffy's sarcophagus.
Under the castle there is a stalactite cave and a Paleolithic archaeological site.

Evanjelický kostol v historizujúcom slohu s náhrobnou kaplnkou Imricha Tököliho v **Kežmarku** postavili v rokoch 1879–92 podľa projektu T. Hansena.

Designed by T. Hansen, the **Protestant church at Kežmarok,** with Imrich Thököli's charnel-house, was erected between 1879 and 1892.

Kostol v Muli navrhol architekt Š. Medďašai ako prvý so železobetónovou konštrukciou kupoly na Slovensku. Kostol postavili v rokoch 1909-10.

The church at Muľa was designed by architect S. Medgyaszay. Built in 1909–10, it is the first church in Slovakia with a reinforced-concrete cupola.

Gymnaziálny **Kostol sv. Alžbety v Bratislave** (známy ako Modrý kostolík) bol postavený v rokoch 1907–13 podľa projektu E. Lechnera. Nad vstupným portálom je mozaika so sv. Alžbetou.

The grammar-school **Church of St. Elizabeth in Bratislava** (known as the Blue Church) was designed by E. Lechner and built in 1907–13. Above the entrance is a mosaic depicting St. Elizabeth.

Mauzóleum v Krásnohorskom Podhradí dal v rokoch 1903–04 pre seba a svoju manželku, opernú speváčku Františku Hablawcovú, postaviť Dionýz Andráši. Podľa návrhu mníchovského architekta R. Berndla stavbu viedol E. Schmucker, sochy a plastická výzdoba sú dielom sochára M. Fricka. Mauzóleum obklopuje francúzsky park.

The mausoleum at Krásnohorské Podhradie was built in 1903–04 by Dionýz Andrássy for his wife, opera singer Františka Hablawcová, and himself. The structure was designed by Munich architect R. Berndl, the construction was directed by E. Schmucker, and the sculptures were created by Munich sculptor M. Frick. The mausoleum stands in the middle of a French park.

Synagógu v Trenčíne postavili v roku 1913. Historizujúca stavba s centrálnou dispozíciou a ústrednou kupolou je inšpirovaná architektúrou Východu.

Trenčín Synagogue, dating from 1913. The historizing building, which is centrally orientated with a central cupola, was inspired by oriental architecture.

Sieňovú **synagógu v Malackách** postavili roku 1886 podľa projektu viedenského staviteľa W. Stiastneho.

The hall **synagogue at Malacky** was designed by Viennese architect W. Stiastny and built in 1886.

79

Kúpele Trenčianske Teplice v druhej polovici 19. storočia.

The spa of Trenčianske Teplice in the second half of the 19th century.

Veľký počet minerálnych a termálnych liečivých prameňov, ktorými Slovensko oplýva, láka už niekoľko storočí návštevníkov z celého sveta. Pri prameňoch vznikali kúpeľné mestá (z najznámejších – Piešťany, Trenčianske Teplice, Turčianske Teplice, Bardejov, Bojnice, Vyšné Ružbachy, Sliač), v ktorých na architektúre sa prejavili znaky stavebného vývoja všetkých slohových období. Najviac pamiatkových objektov sa zachovalo z posledných storočí ovplyvnených najmä klasicizmom, pseudohistorickými slohmi, secesiou a slovenskou modernou.

Slovakia is endowed with a multitude of mineral and thermal springs which have attracted visitors from around the world for several centuries.

Spa towns gradually developed around the springs, and the architecture usually bears the sign of all the various styles that were fashionable during the towns, existence. The majority of buildings that have been conserved date from the last centuries and consequently their architecture is influenced primarily by Classicism, pseudo-historizing styles, Art-Nouveau and Slovak modernism.

Liečebný dom Astória v Bardejovských Kúpeľoch postavený v rokoch 1893–97.

The cure house **Astoria at Bardejovské Kúpele** was built in 1893–97.

**Liečebný dom Thermia Palace
v Piešťanoch** postavili v rokoch
1910–12 podľa projektu architektov
A. Hegeduša a H. Böhma.
Kolonádny most z rokov 1930–32 je
dielom architekta E. Belluša.

**The cure house, Thermia Palace,
in Piešťany** was designed by architects
A. Hegedüss and H. Böhm and built
in 1910–12.
The colonnade bridge was designed
by the architect E. Belluš and built bet-
ween 1930 and 1932.

Na Sliači postavili v tridsiatych
rokoch liečebný komplex, z ktorého
(na obr. vpravo) je **Kúpeľný dom
Palace**, postavený podľa projektov
architekta R. Stockara v rokoch
1927–31.

A health complex was built at **Sliač**
in 1930s. **The cure house Palace** was
designed by the architect R. Stockar
and built in 1927–31 *(picture right)*.

Vo **Vysokých Tatrách** vznikala
na prelome 19. a 20. storočia typická
hrázdená architektúra secesného štýlu,
napríklad **na Štrbskom Plese,
v Starom a Novom Smokovci**
(na obr. hore vpravo), ale aj secesné
budovy sanatórií a hotelov, napríklad
Sanatórium doktora Sontága posta-
vené architektom M. M. Harmincom
v rokoch 1916–26 *(na obr. hore vľavo)*
i **hotel Grand v Tatranskej Lomnici**
(na obr. vpravo) postavený podľa pro-
jektov G. Hoepsnera a L. Gerleho
v roku 1906.

In the late 19th and early 20th century,
cross board houses in the **High Tatra
Mountains** had the typical timber-fra-
med architecture of the Art-Nouveau
style period. It is exemplified by hou-
ses **at Štrbské Pleso, Starý Smo-
kovec,** and **Nový Smokovec** *(picture
above right).* There are also buildings
in Art-Nouveau style, e.g. **Doctor
Szontagh's Sanatorium** dating from
1916–26, designed by architect
M. M. Harminc *(picture above left),*
and the **Grand Hotel at Tatranská
Lomnica** designed by G. Hoepsner and
L. Gerle in 1906 *(picture right).*

Pohľad zo **Štrbského plesa** na panorámu **Vysokých Tatier** so skokanským mostíkom a hotelom Patria z novšej výstavby sedemdesiatych rokov.

A view from **Štrbské pleso** of the **High Tatra mountains** with a ski-jump and the Patria Hotel built in the 1970s.

V 30. rokoch sa vo Vysokých Tatrách postavilo niekoľko liečebných komplexov vysokej architektonickej úrovne. K najväčším patrí komplex TBC sanatórií vo Vyšných Hágoch a Helios na Štrbskom Plese.
Hlavnú budovu komplexu TBC sanatórií vo **Vyšných Háhoch** *(na obr.)* postavili v rokoch 1933–34 podľa projektu architektov F. Libru a J. Kana.

A few health complexes with very fine architecture were established in the High Tatras in the 1930s. The biggest of them are the complexes of tuberculosis sanatoria at Vyšné Hágy and Helios at Štrbské Pleso.
The sanatorium complex at **Vyšné Hágy,** where patients suffering from tuberculosis are treated, was built according to projects by the architects F. Libra and J. Kan in 1933–34 *(picture).*

rchitektúra drevených kostolov na Slovensku vychádzala z tradícií ľudového staviteľstva, zo stáročných skúseností ľudových majstrov a využitia prírodných materiálov. Ich krása a pôvab spočívaju v harmonickom zakomponovaní do okolitej prírody i v malebnosti interiéru.

Najstaršie drevené kostoly v Zábreží, Tvrdošíne a kostol v Hervartove neďaleko Bardejova nesú zreteľné vplyvy gotických kamenných článkov a výtvarnej výzdoby.

The architecture of Slovakia's wooden churches was based upon folk traditions, the centuries-long experience of folk master craftsmen, and natural materials. Their beauty and charm are enhanced by the harmonious surrounding nature and the picturesque interiors.

The earliest wooden churches at Zábrežie and Tvrdošín, as well as the church at Hervartov near Bardejov, bear the clear signs of Gothic stone segments and decorations.

Najstarším zachovaným dreveným kostolom na Slovensku je rímskokatolícky **Kostol sv. Františka z Assisi v Hervartove** postavený v rokoch 1493–96.
Bohaté nástenné maľby lode z roku 1665 s latinskými citátmi a datovaním vo väčších kompozíciách zobrazujú motívy múdrych a pochabých panien, Adama a Evy, sv. Juraja.
Na gotickom obraze hlavného oltára je zobrazená Panna Mária so sväticami.

The oldest wooden church in Slovakia is the Roman Catholic **Church of St. Francis of Assisi at Hervartov**, erected between 1493 and 1496.
Rich nave murals dating from 1665, with Latin inscriptions and dates arranged to form major compositions, depict motifs of wise and crazy virgins, Adam and Eve, and St. George.
A restored Gothic painting of the Virgin Mary with female saints is placed on the main altar.

Mladšími drevenými kostolmi sú centrálne stavby s pôdorysom gréckeho kríža s emporami. Svojím riešením sú blízke renesančným kostolom. Vznikali po roku 1681 počas protireformácie ako protestantské artikulárne, neskôr tolerančné chrámy kazateľského typu najmä v oblasti Liptova a na Orave. Známe sú kostoly v Leštinách, Istebnom a Hronseku, no k najkrajším a najvzácnejším patria artikulárny kostol v Paludzi a drevený emporový kostol s bohatou výmaľbou a barokovým mobiliárom v Kežmarku.

Later wooden churches have central groundplans in the form of a Greek cross with choirs. Their layout is similar to that of Renaissance churches. These churches were built after 1681, during the religious anti-reformation, as Protestant temples, largely in the Liptov and Orava regions. The churches at Leštiny, Istebné and Hronsek are famous, but the finest and most valuable are probably the church at Paludza and the wooden choir church with rich paintings and Baroque furnishing at Kežmarok.

Drevený artikulárny kostol ev. a. v. v Paludzi postavil v rokoch 1773–74 domáci tesársky majster J. Lang bez jediného kúska kovu. Kostol bol premiestnený do Liptovského Sv. Kríža.

The wooden **Protestant church at Paludza** was built by the local master carpenter J. Lang, without a single piece of metal, in 1773–74. The church has been relocated to Liptovský Sv. Kríž.

Drevený artikulárny kostol ev. a. v. s hrázdenou architektúrou a **barokovú zvonicu** v **Hronseku** postavili v rokoch 1725–26.

A wooden **Protestant church** with timber-framed facades and a **Baroque belfry** was built at **Hronsek** in 1725–26.

Najpočetnejšiu skupinu drevených sakrálnych stavieb – ovplyvnených dvoma svetovými kultúrami – východnou a západnou, tvoria kostoly východného rítu na východnom Slovensku.

Interiéry týchto malebných kostolíkov sú mimoriadne pôsobivé vďaka maliarskej výzdobe stien, drevenému mobiliáru a najmä dominujúcim ikonostasom.

The majority of wooden churches can be found in eastern Slovakia. These churches of eastern liturgy were influenced by both global cultures – eastern and western.

The interiors of these small picturesque churches are extremely attractive, thanks to their mural paintings and interior wooden furnishings, usually dominated by an iconostasis.

Niektoré drevené kostoly boli po rozsiahlej obnove prenesené do múzeí ľudovej architektúry.
Kostol Troch hierarchov zo Zboja z roku 1766 *(na obr.)* dnes nájdeme v expozícii ľudovej architektúry **Šarišského múzea v Bardejovských Kúpeľoch.**

Some wooden churches were extensively restored and relocated to folk architectural museums.
For instance, the **Church of the Three Hierarchs**, which originally stood at Zboj in 1766 *(picture)*, is now situated in the folk architecture exposition of the **Šariš Museum at Bardejovské Kúpele.**

Drevené kostoly, často s trojvežovou, výškovo grado-vanou skladbou a s bohato vyrezávanými architektonic-kými detailmi, sa nachádzajú v Kožanoch, Lukove-Ve-necii, Dobroslave, Topoli, Tročanoch, Miroli, Bodružali, Šemetkovciach, Ruskej Bystrej, Jedlinke a v mnohých ďalších dedinách východného Slovenska. Väčšina z nich pochádza z konca 17. alebo z 18. storočia.

Wooden churches, often with three towers of diffe-rent heights and richly carved architectural details, can be admired at Kožany, Lukov-Venecia, Dobroslava, Topoľa, Tročany, Miroľa, Bodružal, Šemetkovce, Ruská Bystrá, Jedlinka and many other villages in eastern Slovakia. They mostly date from the late 17th or the 18th century.

Rokokový ikonostas v drevenom kos-tole Ochrany Bohorodičky **v Jedlinke** z 18. storočia.

An **iconostasis in Rococo** in the wooden church of the Protection of the Virgin **at Jedlinka** from the 18th century.

Čičmany.

Živým dokladom tvorivých schopností a technickej zručnosti našich predkov je aj svetská ľudová architektúra.

Slovensko ako stredoeurópske územie leží na rozhraní severoeurópskeho pásma drevených stavieb a kamennej architektúry južnej Európy. Jeho prírodný charakter dotvárajú horské systémy Západných a čiastočne Východných Karpát, i vnútrokarpatské nížiny na juhu Slovenska.

Ľudové staviteľstvo bolo podmienené predovšetkým prírodným prostredím, určujúcim výber stavebného materiálu, stavebných technológií a konštrukcií.

Horstvá poskytovali drevo na zrubové, stĺpové a rámové stavby, charakteristické pre severné Slovensko. Pre obydlia sú typické trojpriestorové zrubové domy, zväčša neomietnuté, kryté šindľom, zdobené krásnymi ostrešiami a na niektorých miestach drevenými bránami so šindľovou strieškou. Nájdeme ich napríklad v Podbieli, Vlkolínci alebo s geometrickým maľovaným ornamentom v Čičmanoch.

Secular folk architecture is a dazzling example of the creative skills of our forefathers.

Positioned in Central Europe, Slovak architecture is influenced by both northern European wooden structures and the stone architecture of southern Europe. Slovakia's natural character would not be complete without the mountain ranges of the Western, and partly, the Eastern Carpathians, as well as the Intra-Carpathian lowlands in southern Slovakia.

Folk architecture depended largely on the natural setting which controlled the selection of building materials and techniques.

Forests provided wood for the log, columnar and timber frame buildings typical of northern Slovakia. Dwellings typically have three rooms and are unplastered. Some of them have wooden gates with decorative shingle roofs. Fine examples can be found at Podbieľ, Vlkolínec, and Čičmany, the latter being decorated with geometrically painted ornaments.

Habáni vo **Veľkých Levároch** stavali samostatné urbanistické celky – habánske dvory s remeselníckymi a obytnými budovami, pre ktoré boli typické vysoké sedlové strechy.

Haban colonists settled at **Veľké Leváre** in the 16th century. They built autonomous urban complexes – Haban estates with artisans workshops and dwellings with high gable roofs.

V Brhlovciach sa nachádzajú jedinečné obydlia vyhĺbené do skalných stien.

Unique houses dug in the rock are found at **Brhlovce.** They originally served as emergency shelters.

Pre východné a južné Slovensko sú charakteristické najmä hlinené domy s trstinovou alebo slamenou strechou. Takým je napríklad dom **v Krajnom Čiernom.**

Adobe houses topped by a reed or hay roof are characteristic of eastern and southern Slovakia. This house at **Krajné Čierne** is a nice example.

V horských oblastiach stredného Slovenska, a v okolí banských miest, sa stával pomerne rozšírený typ ľudového baníckeho domu s poschodím a drevenou pavlačou, akým je **banícky dom** na **Starých Horách** pri Banskej Štiavnici.

Miners' two–storey houses with wooden balconies, such as this **miner's house at Staré Hory** near Banská Štiavnica, were fairly widespread in the mountain regions of central Slovakia in the vicinity of mining towns.

Najkompaktnejšie zachovaná svojráz-
na horská obec **Vlkolínec** bola
roku 1993 zapísaná do zoznamu sveto-
vého kultúrneho dedičstva UNESCO.

The unique and almost completely
preserved mountain village
of **Vlkolínec** was put on the UNESCO
World Cultural Heritage list in 1993.

Oravská obec **Podbiel** *(na obr. vpravo)*.

The village **Podbiel** in the region Orava
(picture right).

Drevo sa hojne využívalo aj pri technických stavbách. Aj tu sa spájalo technické majstrovstvo a zručnosť remeselníkov s citom pre použitý materiál a harmóniu s prírodou. Zachovalo sa niekoľko **drevených vodných mlynov** – technických pamiatok poľnohospodárskej výroby – ako je dnes už romanticky pôsobiaci lodný mlyn z Radvane nad Dunajom (premiestnený do komárňanského prístavu), mlyny na pilótach, napríklad **v Tomášikove** *(na obr.)*, v Jelke, Jahodnej, ale aj mlyny v horských oblastiach na horný náhon, napríklad v Kvačianskej doline.
Z veterných mlynov sa zachoval typ holandského veterného mlyna už len **v Holíči** *(na obr.)*.

Wood was used in technical buildings as well. Here too, technical mastership and the skill of the artisans joined with a feeling for the materials used and harmony with nature.
Wooden folk architecture also includes **wooden water driven mills** and technical elements related to agriculture. The conserved water mills now evoke nostalgic thoughts. They are exemplified by the ship mill from Radvaň nad Dunajom, now in Komárno port, and mills on pillars **at Tomášikovo** *(picture)*, Jelka and Jahodná, as well as water mills in mountain areas; e. g. in the Kvačianska Valley.
Wind mills are best exemplified by the Netherlands-type mill **at Holíč** *(picture)*.

Cestami prichádzali na Slovensko kultúrne misie európskeho sveta, tiahli nimi vozy plné tovarov, ale aj vojenské výpravy, ktoré takmer vždy plienili a ničili vytvorené hodnoty. Neodmysliteľnou súčasťou ciest boli **mosty** – drevené i kamenné – dodnes na Slovensku zachované **gotické, renesančné i barokové**.

Jeden z gotických mostov s lomenou klenbou sa nachádza v **Spišských Dravciach** *(na obr. hore vľavo)*, renesančný, napríklad v Spišskom Hrhove, barokový most v **Poltári** *(na obr. dole)* i pseudobarokový v **Kráľovej pri Senci** *(na obr. hore vpravo)*. Zachovalo sa aj niekoľko drevených mostov, napríklad v **Kľuknave** *(na obr. vpravo)*. V čase napoleonských vojen vyspelá výroba kvalitného železa umožnila odlievanie mostov zo železa. V Hronci boli v rokoch 1810–15 odliate tri liatinové mosty.

Na Slovensku sa nachádza množstvo technických pamiatok, ktoré dokumentujú slávne časy dolovania a spracovania rúd, drahých kovov, vynálezov a svetových prvenstiev najmä v banskej technike ale aj v iných odvetviach.

Roads to Slovakia brought European cultural world missions, and carts fully loaded with merchandise, but also military expeditions which almost always destroyed and looted along the way. An inseparable part of the roads are bridges – both wooden and stone. The bridges that have been conserved include Gothic ones with barrel arches, e. g. at **Spišské Dravce,** *(picture above left)* a Renaissance bridge at Spišský Hrhov, and finally, Baroque bridges which represent the culmination of the building art in our country, e. g. at **Poltár** *(picture below),* **Kráľová pri Senci** (a pseudo-Baroque one picture above right) etc. Several wooden bridges have been preserved, e. g. at **Kľuknava** *(picture middle)*. In the period of the Napoleonic wars, advanced iron smelting allowed the production of cast-iron bridges. Three such bridges were cast at Hronec foundry from 1810 to 1815.

Slovakia is endowed with a multitude of technological heirlooms, which attest to the past glory of the mining of ore and precious metals, as well as inventions and world-firsts in mining and other industries.

Hlohovské listy hlaholské na pergamene z 12. storočia sú dôkazom používania slovanského písma a bohoslužby na území Slovenska ešte na rozhraní 12.–13. storočia *(v zbierkach Matice slovenskej).*

12th century **Glagolica letters of Hlohovec**, written on parchment demonstrates the usage of Slavic writing and liturgy on the territory of Slovakia still at the turn of the 12th and 13th centuries *(in the collection of Matica slovenská).*

Po prvej svetovej vojne sa rozpadla Habsburská monarchia a vznikla Československá republika. Dnes je Slovensko samostatným štátom.

After World War I, the Habsburg Monarchy split up and the Czechoslovak Republic was formed. At the present time, Slovakia is an independent country.

Najvýznamnejšie architektonické a technické pamiatky predchádzajúcich storočí – zachované pamiatkové súbory a klenoty ľudovej architektúry – sú naším národným kultúrnym dedičstvom.

Major architectural and technical heirlooms of bygone centuries – the conserved artifacts and jewels of folk architecture – make up Slovakia's cultural legacy.

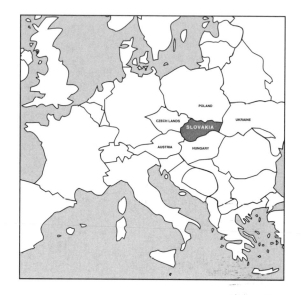

Publikáciu zostavila, redakčne spracovala a graficky upravila: Margita Šukajlová
Autori: Norma Urbanová, Margita Šukajlová a kol.
Publikáciu lektorovala: Blanka Puškárová
Jazyková úprava: Katarína Hegerová
Fotografie: Vladimír Bárta, Milan Brtva, Ladislav Deneš, Jiří Fojtík, Alexander Jiroušek, Miroslav Jurík, Ivan Kostroň, Ivan Ladziansky, Reimund Müller, Petr Paul, Tibor Sásik, Ján Sláma, Ján Schenko, Milan Tesák, Zdenko Vlach, archív Pamiatkového ústavu, archív Matice slovenskej
Preklad: AC agentúra
Vydalo: Vydavateľstvo ARS MONUMENT, Kalinčiakova 17, 831 04 Bratislava
Spolupráca: Vydavateľstvo Matice slovenskej Martin

Litografie, sadzba: TYPOCON
Tlač: DANUBIAPRINT, š.p.
Vydanie I., 1995

ISBN 80–901174–3–0
© ARS MONUMENT